今生相隨 琉璃有情

琉璃工房

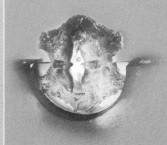

今生相随

杨惠姗、张毅与琉璃工房

符芝瑛 著

新世界出版社

琉璃工房

狗是琉璃工房的吉祥动物，从工房
成立的第一天，一直有一大群狗跟着我
们一起生活、成长，尤其对杨惠姗，狗是
她永远的快乐。

共撑一把小雨伞，漫步林间。

张毅在台湾天母艺廊。

不断蜕变的杨惠姗。

天使的脸孔,魔鬼的身材。

《玉卿嫂》剧照。

杨惠姗生活照。

张毅指导杨惠姗演出《我这样过了一生》。

在台湾"新电影浪潮"中，人称张毅为新锐导演。

杨惠姗以《小逃犯》一片获台湾金马奖最佳女主角奖。

《大业成就》

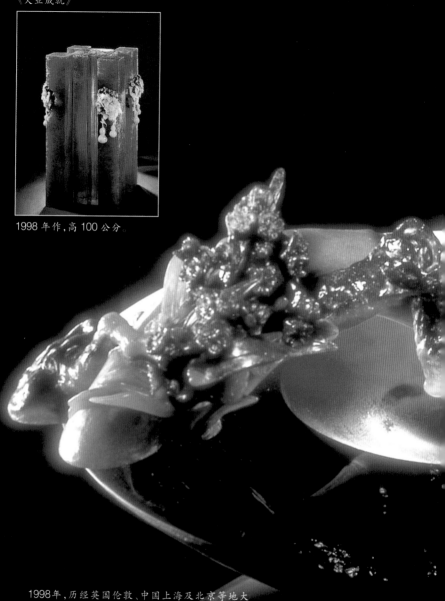

1998 年作，高 100 公分

1998年，历经英国伦敦、中国上海及北京等地大
展，杨惠姗的作品朝向超大型雕塑迈进。琉璃工房坚
信，琉璃材质终究要从工艺走向具哲学思考的严肃讨
论。脱蜡铸造作品尺寸愈大，其困难度以倍数增加。
《松竹月影》是《中国诗情系列》的代表作品，梅竹缠
枝，水中倒映，松叶的抽象图案，组给成唐诗中别具
悠远的仕隐意境。

《松竹月影》，1988 年作。　尺寸：高 35 公分，直径 64 公分。

他判断力强，擅于规划大方向；她忍耐力够，不达目标不放松。他们曾是导演与演员，现在是经纪人和艺术家。从《不要骂我》到《倾听》，他们依然是最佳搭挡。

《不要骂我》,1996年作,尺寸：大/高 10.5 公分、宽 7 公分、长 18 公分；小/高 5.2 公分、宽 3 公分、长 8 公分

不要骂我！不要给我那种脸！不要老管我！不要每天问我什么时候回来！

1998年8月,张毅生病,杨惠姗每日病床守望,除日夜默祷外,手中工作不断,成了两人重要寄托。10月,张毅渐愈,两人将当时完成之小作,名之为《倾听》,常常记着倾听无常之苦,更记得倾听生命之喜。

《倾听》,1998年作,尺寸：高 12.5 公分、宽 9 公分、长 7.5 公分。

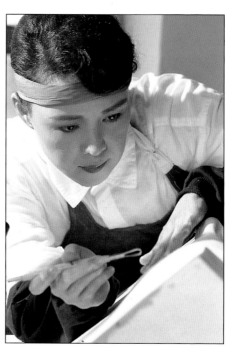

工作中的杨惠姗。

杨惠姗在敦煌。

一本《药师本愿经》,从浑沌到清晰,犹如一盏明灯忽耀眼前,开启佛创作的前世因缘。

《亿万年敦煌》

《亿万年敦煌》, 1998 年作, 尺寸: 高 34.5 公分、宽 18 公分、长 58 公分

1992 年新加坡高岛屋百货艺廊展。

1993 年第一次轻扣北京故宫大门，艺术展出受到肯定，更重要的是，数千年来的文化断层确定有了延续。从此，有中国琉璃，就有琉璃工房。

琉璃工房作品在上海展出时，著名电影表演艺术家秦怡，张瑞芳前往参观。

1998年在北京故宫博物院永寿宫举办杨惠姗中国琉璃艺术创作展。

1998年杨惠姗现代中国琉璃艺术展在上海博物馆举行开幕式。

张毅、杨惠姗在工作中。

《悲悯》为故宫藏品之一。

1998 年于上海举行杨惠姗现代中国琉璃艺术展，《滚滚黄河》是主要的展览作品之一

《滚滚黄河》，1998 年作，尺寸：高 28 公分、宽 18 公分、长 18 公分。

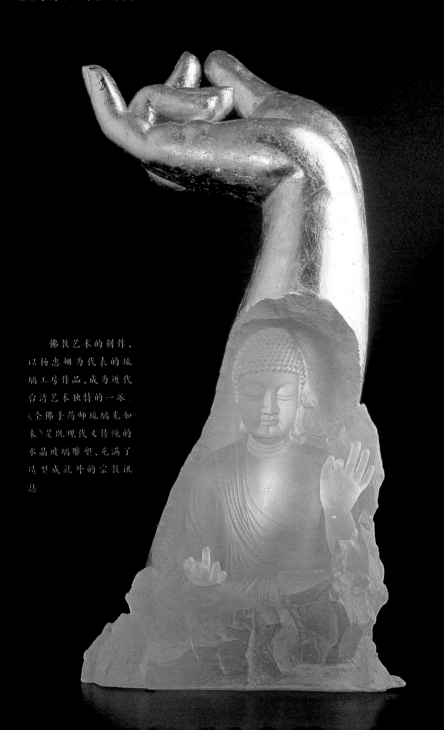

《全佛手药师琉璃光如来》，1990 年作，尺寸：高 54 公分、宽 16 公分、长 24.5 公分。

佛教艺术的创作，
以杨惠姗为代表的琉
璃工房作品，成为近代
台湾艺术独特的一派。
《全佛手药师琉璃光如
来》是既现代又传统的
水晶玻璃雕塑，充满了
造型成就外的宗教讯
息。

《大放光明》

《大放光明》1998年作,高183公分、宽70公分|、长70公分。

《天地之间》,1998 年作,尺寸:高 80 公分、宽 12 公分、长 100 公分

《天地之间》

《众坊》，1998 年作，每件尺寸：高 12.5 公分、宽 7.2 公分、长 8 公分、共 9 件。

"所有深奥的道理，
都有一个再简单不过的答案，
思想的精髓，
常在垂手之间，
垂目不语，
其实道尽一切玄妙。"
从单尊的佛像雕塑，
到《众妙》作品，
杨惠姗赋予佛像新意境。

《第二大愿》是杨惠姗的第一件作品，开启她的创作之路。

《第二大愿》，1993年作，尺寸：高83.5公分、宽22公分、长57.7公分

《教风云焉能不起》

《教风云焉能不起》，1998年作，高41公分、宽25公分、长51公分。

《潜龙静思宝瓶》的创作重点，是一个现代琉璃工艺的新格局，它不只是创造了一些装饰，或者是设计了一个新造型，而是向往一种心境。

潜龙静思宝瓶，1998年作，尺寸：高106公分、直径60公分

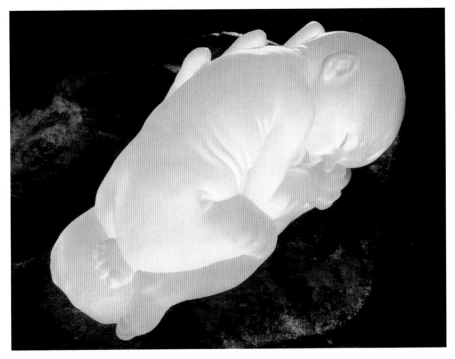

《大愿》，1998 年作，尺寸：高 32 公分、宽 32 公分、长 61 公分。

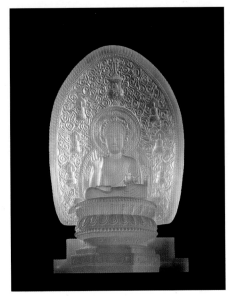

奉纳于日本奈良
药师寺的《药师琉璃
光如来》。

《大圆镜智》

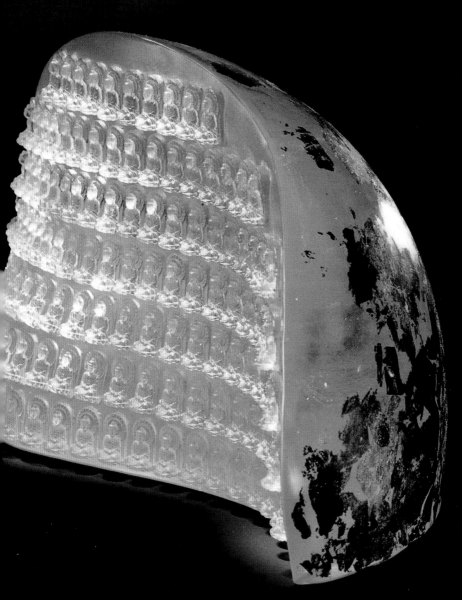

《大圓鏡智》，1998年作，每件尺寸：高21公分、直徑36公分、共2件

《生生不息》，1998 年作，尺寸：高 41 公分、宽 14 公分、长 55.5 公分。

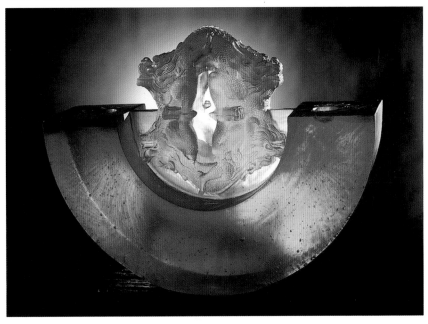

"宇宙自运行、自调节，
正如孤月自圆缺。
生命自运行、自调节，
正如孤灯自明灭。
必也宇宙和生命合奏，
激发无限的蓬勃契机，
创造嫣然情趣的生命意义。
如此循环不已，超越不断，
是谓生生不息。"
《生生不息》是一九九八年"杨惠姗中国琉璃艺
术国际巡回展"的主要作品。
象征为琉璃工房延续下个，下下个十年……。

今生相随

——杨惠姗、张毅与琉璃工房

符芝瑛 著

新世界出版社

著作权合同登记号:01 - 1999 - 1876

图书在版编目(CIP)数据

今生相随:杨惠姗、张毅与琉璃工房/符芝瑛著 . - 北京:
新世界出版社,1999.7

ISBN 7 - 80005 - 508 - 6

Ⅰ. 今… Ⅱ. 符… Ⅲ. 报告文学 - 中国 - 当代 Ⅳ.125

中国版本图书馆 CIP 数据核字(1999)第 27296 号

今生相随——杨惠姗、张毅与琉璃工房

作　　者/符芝瑛
责任编辑/杨　彬　邵　东
封面设计/老绑工作室
出版发行/新世界出版社
社　　址/北京市百万庄路 24 号　邮政编码/100037
电　　话/(010)68326644 转 2569(总编室)
　　　　　(010)68994118(发行部)
电子邮件/nwpcn@ public. bta. net. cn
印　　刷/中国科学院印刷厂
经　　销/新华书店
开　　本/大 32 开　　　850×1168 毫米
字　　数/200 千字
印　　张/10.125　　彩插 32 页
版　　次/2002 年 1 月第 3 版　2002 年 1 月第 3 次印刷
书　　号/ISBN 7-80005-508-6/G · 202
定　　价/24.8 元

琉璃

余秋雨

一条用黑色的木板砌成的长长甬道,里里外外全是竹子,杨惠姗女士和张毅先生找了这么一个地方和我见面,我一走进去就觉得飘飘浮浮,神秘得不知身在何处。

他们慢悠悠地告诉我有关琉璃世界的一个个故事,每个故事都有点不可思议,终于说到,有一次,他们得到一件汉代琉璃,小心翼翼地拂拭掉蒙封千年的泥垢,恭恭敬敬地捧在手上端详,突然,轻轻的喀哒一声,它断裂了。"为什么两千多年都安然无恙,偏偏就在这一刻断裂呢?"他们问得若有所思。

我说,它已等得太久太久,两千多年都在等待两个能够真正懂得它的人出现,然后死在他们手上,死得粉身碎骨。

我这么说,并非幽默。琉璃当然是有生命的,要不然为什么会吸引两位艺术家耗费自己的整个生命去悉心侍候?既然有生命,就必然等待知音、准备死亡,死亡在知音面前。科学家也许会说,它的破碎是因为出现了共振，那么，共振来自何方？来自两位艺术家急剧的心跳、紧张的呼吸，而这，正是知音的征兆。

在我们作这番谈话的时候，我的司机神情木然，一直定睛看着杨惠姗，最后忍不住悄悄地问我："这位女士怎么这样眼熟？"我轻声回答："整个亚洲都认识她，主演过一百多部电影，金马奖影后，亚太影展影后。"他吃惊了："真是杨惠姗？"我平静地点头。

杨惠姗刻骨铭心地演尽了人世百态，突然受到另一个世界的感召，她向亿万双期待着她的眼睛挥挥手，飘然远去，要用自己的眼睛去寻找一点别的东西。终于，她发现了琉璃世界的灵光闪烁。

作为一个表演艺术家，她早已习惯于用自己的身体当作创造的材质，但是，人类的身体是这个世界的最高材质吗？未必。为什么上天让她又看到了另一种材质，可以吸纳华彩却又纯净透明，可以美艳惊世却又霎时自灭，可以化身万象却又亘古安静？这比用人体表演人体，更空灵、更高贵、更诗化。

她在这种材质前站定，不会言动。她对张毅先生说，你坐一会儿，喝杯咖啡，我还要看。张毅先生说，好，你看吧。他知道，那儿要发生大事情。

既然看到，就放不下了。她远涉重洋，多方拜师，尽倾资财，遍尝磨难，只想用自己的手去触摸、去塑造、去捧持。一度,她身边堆满了烧坏了的废品,废品由财富转换而来,财富由生命转换而来,种种转换全成了废品,种种废品连成了废墟。

在失败得毫无希望的废墟上,她不茶不饭,静守静思,决不离去,直到奇迹终于出现。青烟散去,炉门打开,慢慢冷却,细细逼视,哦,成了。她的作品很快引起了国际美术界的极大注意,这没有使她过于激动,真正激动的是她听一位日本学者随意提起:这种工艺在中国汉代之前就已经成熟。真的吗?杨惠姗急速转过身来,迷惑地眺望起遥远的黄河流域。

原来还以为是法兰西文化的骄傲呢,居然在异国他乡拾到了一部依稀的家谱,找到了自己远年血缘的印证。这就终于理解,为什么自己会毫无理由地对琉璃世界如痴如狂?为什么以前毫无雕塑经历和冶炼经历只凭自己的摸索便取得奇巧配方?也许是接收到了几千年前发出的秘密指令?几千年都是失传的荒原,荒原那边是影影绰绰不知名的伟大工匠,荒原这边是一个惊慌失措的当代女子。

两边的窑炉烈火熊熊,像两座隔着千山万水的烽火台,烽火台传递的信号却准确无误。其他多少座烽火台都与战争有关,惟有这两座不是,隔着三国的血腥、隋唐的搏斗、宋元明清的厮杀,却只有两缕最干净的轻烟,遥相呼应。

此时的杨惠姗，已跻身数量极少的国际第一流琉璃工艺大师的行列，一次又一次轰动的展出，一浪又一浪如沸的佳评，杨惠姗神定气闲，只向主办者提出一个请求，把自己的作品放在边上，让出展览厅的中心部位，以最虔诚的方式将远处的烽火台——汉代的琉璃陈列其间。展览厅一时烘云托月，她把全部荣誉献给了祖先，只想与祖先共享一个名称：中国琉璃，然后相扶相持传播给今天的世界。

中国琉璃是一种工艺，更是一种哲学和宗教。在中国佛教中，琉璃的地位非常特殊，那天杨惠姗突然读到《药师琉璃光本愿经》时并没有太大吃惊，因为她觉得本来就该如此。经文曰："愿我来世，得菩提时，身如琉璃，内外明澈，净无瑕秽。"琉璃果然是一种人格，一种精神，一种境界的象征。

其实，任何一段历史都太粗糙、太混杂，都需要烧冶，烧冶历史的结晶，烧冶历史的琉璃，而历史的琉璃就是文明。

用火烧，更用心烧，于是，在历史变成琉璃的同时，生命也变成了琉璃。这两重窑变的成果，是人类真正的珍宝。于是，当冲天的烟雾飘散之后，有一双纤纤素手在仔细捡拾。

　　她无法删去历史和自身的坎坷和辛酸，只是深知既然经历了那么多，我的这一炉烧进了更多的历史灾难，理应用现代语言把它们升腾为更大的仁爱和慈悲。

　　金手指天，诸佛列位，宏愿庄严，杨惠姗的琉璃世界已经成为一种奇瑰的精神仪式，很让国际同行震撼。这种纯净明澈的震撼，出现在熙熙攘攘的现代生活中，其力量早已远远超出案头摆设之外。

　　杨惠姗今后的计划如何？她不企盼明确的远景，只愿意在琉璃世界中专注修持，享受挫折，直至化作泥土，来肥沃历史和现实的荒原。张毅先生告诉我："就在昨天，一宗大件出炉，一个小小的瑕疵，失败了，今天重新开炉，又要 25 天。"杨惠姗说："在制作过程中只要听到一点极细的响声就会心跳，因为这是断裂的警报。琉璃都会断裂，只是不知什么时候。"

　　她的使命，便是创造美好，守候断裂。永远的创造，永远的守候，没有休止，就像那件汉代琉璃断裂在她的手上那样，她的作品也会在后代手上断裂，那么，想必也会有人手捧美丽的断片蓦然憬悟的吧！

路仍如此遥远

张　毅

　　1987 年,琉璃工房成立,满脑子的 Patede – verre 和 daum。

　　Patede – verre，玻璃粉脱蜡铸造，19 世纪在法国极风行的一种玻璃工艺。Daum 是至今硕果仅存使用 Patede – verre 的工作室。在 1987 年，已经有 167 年的历史。

　　琉璃工房成立之初，选定这种技法，希望创作中国自己的水晶玻璃——当然，因为是中国，所以岂止是水晶玻璃，应该叫"中国琉璃"。初学乍练，Daum，一时间，就成了崇拜的对象和假想敌。听说，有一对夫妇买下了 Daum 整个工作室，觉得很意外，是经营不善吗? 写信给 Daum 问能不能付款买他们的 Know – How，无奈没人理。

　　意气风发起来，只好说，法国人能，为什么我们不能?

　　当时和一个算是很有见识的朋友说起这个想法，朋友说："人家法国人干了两百年了，你们半路出家就想搞?法国人不就白混了!"

传承中国琉璃

从 1987 年起,将近三年半,7500 万元的负债,所有的房子抵押了不算,利息都快缴不出来。

炉子里烧出来的作品,只有绝望。

因为在日本展出几件勉强凑出来的作品,结果,听说,中国西汉就有这种技法。

一下子,话突然接不下去。

西汉,中山靖王刘胜墓里的琉璃耳杯,距今至少二千一百年。

中国琉璃的说法,就在这时候,沉重起来。

1997 年 10 月,10 年了的琉璃工房,在巴黎,听说 Daum 被 SAGEM 兼并,预备大张旗鼓,重振雄风。有人介绍了和 Daum 和新 VP(副总裁) 见面,十年前的过去种种兜头而来,一夜兴奋不能成眠。次日一见,发现是位财务出身的 VP,泛泛地谈着,对琉璃工房了若指掌。突然,话又接不下去了。

滚滚烟尘

这样无言以对的感觉,让我们经常没有意愿看这过去的种种。

看什么?不过是滚滚烟尘。

然而,这是自己的想法。

比较起来,天下文化规规矩矩的诚意和正经,从高希均先生、王力行女士,一直到符芝瑛女士的认真,让我们觉得惭愧。符芝瑛为了这本书,跟着琉璃工房到伦敦维多利亚、亚伯特博物馆、上海博物馆、北京故宫博物院。还有,上海华山医院——因为,张毅心肌梗塞住院。

我们必须承认,因为参与这本书的每个朋友的鼓励,让我觉得这 11 年来不太寂寞,也聊有价值。对各位的关心,琉璃工房深深鞠躬。

然而,面对这本书,请容我们说:哀矜莫喜。因为,走过的路,已经过去;而要走的路,如此遥远。

注:Daum 成立于 1870 年法国 Nancy,创始人 Jean Daum 从制作实用玻璃起家。1885 年去世后,其子 August 及 Antonin 继承,将 Daum 带往艺术琉璃创作方向。1906 年,以研发源自于古埃及的"玻璃粉脱蜡铸造"

技术，创作出色彩丰富变化及细微雕塑表现的琉璃作品，使企业走向高峰，成为新艺术时期(Art Nouveau)最重要的琉璃艺术工作室代表之一。历经百余年来岁月屹立不摇，是19世纪末新艺术琉璃中，目前唯一仅存的脱蜡铸造工作室。

告白

符芝瑛

我承认,当年从出版社主编到作家,实在是"人在江湖,身不由己"。

我也承认,对于写书这件事,一直有点"既期待,又怕受伤害"。

去年冬天,老东家天下文化出版公司想出版一本有关琉璃工房的书,征召退除役官兵助阵,我本来打算精神加盟就好(鼓励他们出版),至于行动嘛!恕我不归队了(应该另请比我厉害的作者)。一则因为写上一本书呕心沥血的伤口还没结疤;二则因为对这个题材几乎完全无知,不敢胡乱承担。

先打趟太极拳,能推尽量推。

"谢谢抬爱,但你也知道,他们在台湾,我住上海,将来恐怕联络、采访都不方便。"

"如果这是你惟一的理由,不用担心,琉璃工房正在上海设厂,就是希望找一个能在上海工作的作家。张毅、杨惠姗半个月后到上海,你们先见个面吧!"

× × × ×

我承认，有机会帮影后、导演、艺术家写书，颇能满足虚荣心。

我也承认，第一次见面，就已经被他们的独特魅力所吸引。

随着工作进展，张毅、杨惠姗、许多工房伙伴，用最自然的方式，诚恳地将生命的喜怒哀乐，向一个陌生人完全敞开。我隐隐忐忑、半封闭的心灵，也幽微地、情不自禁地颤动、投入。

当一名好奇的跟屁虫

我承认，自己不是才气纵横的天生好手。

我也承认，深怕砸了畅销书作家的虚名。

如同当年写《传灯》，我必须从零开始学习。那一套老方法——上穷碧落下黄泉，动手动脚找资料——再度派上用场。

琉璃工房企划部首先遭到"骚扰"。搜刮到的成果包括：展览、获奖、收藏、活动、演讲、销售、剪报等档案十几公分高；旁及录音带、录影带、幻灯片等。

其次以书本为师。地毯式搜罗有关工艺美术、国际玻璃史、中国古琉璃等相关书籍，或买或借，在最短时间之内生吞活剥。

同时打通关系，钻进报社资料室，从一摞摞黄脆的新闻片段中，爬梳岁月轨迹。

更紧凑的功课还有：参观制作流程；了解经营运作；研究各时期作品；旁听会员大会；解读作品说明；参与展前陈设；感受展出实况；出席记者会等。

穿插进行的是采访工作。第一手采访张毅、杨惠姗共 13 次，每次平均 3 小时。侧访工房伙伴、朋友、家人、媒体记者、艺术界人士、学者、市场专家、顾客……近 20 人，共累积录音带 38 卷，每卷 90 分钟。

另外，模仿社会学"田野调查"的方法，是希望除了用耳听之外，还能用眼看、用心体会。为了尽量贴近真实，我要求他们不必费心接待，也无须特别安排。"自然就是美"嘛! 地点涵盖上海、台北、伦敦、香港、北京，相处时间短则 3 天，长至 10 日。他们专注于工作，我也有很大收获。比起正襟危坐的访谈，不时随机碰撞出的话题，反而更加丰富精采。张毅、杨惠姗难免必须向人介绍我是谁、来做什么，常开玩笑说已被我列入"研究、观察"名单，如果曾经带来不方便，在此谢谢他们包容我这个好奇的"跟屁虫"。

下个、下下个十年

我承认，面对本身有一支生花妙笔的张毅，难免心虚，惟恐通不过法眼。

我也承认，琉璃工房上上下下期盼殷切，是一种甜蜜的负担，惟恐让大家失望。

然而，钟敲响了，总要交卷。

10个月，孕育了一个小婴儿，正好瓜熟蒂落。

10个月，完成这样一本书，似乎有点早产。

好在，正值人生壮年的张毅、杨惠姗还有很多故事值得挖掘。好在，矢志永续经营的琉璃工房，还有下个、下下个10年。

暗许心愿，有朝一日因缘和合，再拾秃笔补缺弥憾。

×　×　×　×

感谢王秀绢、彭慧雯小姐鼎力协助。

感谢张毅妈妈提供珍贵照片（包括张毅一岁时三点全露的那一张，可惜碍于尺度，无法收入本书）。

祝福所有真心、真情的朋友！

目 录

今生相随——杨惠姗、张毅与琉璃工房

琉璃工房

今生相随

——杨惠姗、张毅与琉璃工房

今生相随

——杨惠姗、张毅与琉璃工房

第一部

执子之手

因为有情，所以开花；
因为开花，所以不老；
就像那满身的飞花般，周而复始。
十年伴炉，人间情出。

第一章

比翼的天使

追求……

一种和谐的，一种平衡的，一种相

对的，

一种尊重自己也尊重别人的快

乐。

——在荷叶舞台上的快乐双鱼

今生相随

——杨惠姗、张毅与琉璃工房

5月底的一个星期，略略有些暑意了，上海的天空蓝得令人诧异。车流、高楼，熙熙攘攘，把一个具有深厚底蕴的大都市亮堂堂地展露出来。

踏进并不陌生的上海博物馆，空气中或聚或散，蒸酿着期待、兴奋的气味。忽然，人群中开始传播骚动，纷纷向中庭围拢，却自动留出一个过道。有点似曾相识，更带着几分好奇，几百双眼睛同时投向一个焦点。鱼贯而入的人中间，有一对出色男女，女士端庄自在；半步之后的男士俊朗沉稳。

目光穿过高高低低宾客，凝视着台上一对丽人，外貌、气质、神采，无不匹配和合。十几年相知、相爱、相扶

十九年相知相爱，共同点燃生命之光。

持,张毅、杨惠姗既是事业伙伴,又是情感伴侣,共同点燃生命的光。

射手座与处女座

以个体论,他们分别拥有特殊质地;成为搭档,又完美地互补。

张毅血型B型、射手(人马)座,对生命怀抱极大热情与奇想,乐于享受生活中的惊喜。他不甘愿"和大家长得一样",永远向前追求。亲密爱人杨惠姗形容的颇为传神:想像一个人装上四

张毅对生活怀抱极大热情与奇想。

条马腿,已经跑得够快了;手上还要拿把弓,射出御风而飞的箭,笔直冲向目标,那就是张毅。

他承认自己是个点子新、想法多的人，坐不住、好奇心旺盛、喜欢走来走去、东看西看。观察力、判断力都很强，逻辑清楚。并且充满鼓动力、感染力，能领导一群人朝"梦土"前进。朋友都说，如果他不做琉璃，会是绝顶出色的老师、演讲家或传教士。

杨惠姗血型 A 型、处女座，感情丰富，重视家庭。完美主义者，无论工作、生活，全心投入，当下承担。

过去人们常说"女人是弱者"，杨惠姗这个女人却

杨惠姗有着与生俱来的积极乐观。

绝对强悍，强在她的精神韧度，强在她与生俱来的积极、乐观。

对于实验性的东西，她通常都先往会成功的方向去思考，不先持否定的想法。一条路行不通，换一条路再重来，不会自怨自艾。她的字典里没有"不可能"三个字，一句话最常挂在嘴边："都还没试过，怎么知道不可能"。最"恐怖"的是，不达目标，誓不罢休。张毅比喻说，只要在她面前画一条跑道，不管这跑道有多长，她都能跑完。

比翼相拥的天使

这两人的组合威力无穷，张毅无疑是思想理念的源头；杨惠姗则是坚毅的实践者。就如同当年，他导她演，他把观念和意象讲给她听；她则认真地去揣摩、去诠释、去表现。

如果琉璃工房没有杨惠姗，许多想法可能只是一本本企划书，见不到一样作品；如果没有张毅，就像一匹马拼命前奔，却不知道要奔向何方。

张毅擅长以文字或语言表达，杨惠姗则喜欢借作品说话。迫不得已必须"赶鸭子上架"，单独面对群众，杨惠姗总花好长时间准备，张毅则在幕后帮忙、打气。

有一次应邀演讲，杨惠姗在台上全神贯注，侃侃而谈，张毅隐身观众席，掩不住得意："你看，她现在可以讲这么长一段话！"神情如同看着"吾家有女初长成"的父亲。

杨惠姗对张毅的信任和倚赖，不时在言语行动中流露。

"无论做什么东西，只要跟他说，马上就会帮我找来所有的资料，买所有的书，无论多贵。基本上他放手让我自己去构思，偶尔给我一些建议或看法。有时当场我会有点不服气，嘴巴还很硬。但他走开之后，我觉得他说得有道理，还是照他的意思会改。"

许久以前，张毅曾经用"一个是瘸子，一个是瞎子"来形容他和杨惠姗是"很不幸的组合"，因为他们之中任何一个人都不能单独面对琉璃工房这个事业体。"我们都缺少了对方所有的一些东西，而且缺得很离谱。"

有一次，在《玉卿嫂》一片中演出"庆生"的阮胜田从国外回来，听到这个说法，觉得很"残忍"，也不够浪漫。于是建议，西方有一种传说，每一位天使都只有各自拥有一只翅膀，所以必须是互相拥抱才能飞起来。而杨惠姗和张毅应该就是比翼相拥的天使。

杨惠姗自我剖析，"有些人是天才型的，天生就知道自己能做什么、最适合做什么，我绝不是那一型的，我自认很后知后觉,成熟得晚。我应该属于被动里的主动,也许一开始整体的组织规划能力没有张毅强,但之后会因为对工作、环境的熟悉,产生自己的看法。我最近常想到一句广告语'领导者是做对的事情,被领导者是把对的事情做好。'我们的角色大概就是这样。"

珍惜相伴的每一刻

身为事业伙伴,他们各有职司,互相尊重。

人前人后,杨惠姗提到张毅总是称"张先生",员工有问题请示,她会说:"我想可以这样处理,总经理怎么说?"相对的,张毅也一定先问:"我的想法是这样,你们问过董事长的意见没有?"

杨惠姗认为,他们创业最大的优势是两个人,碰到困难或气不过的事,不方便在别人面前发作,只要两人一鼻孔出气,共同发泄一顿,心里就舒坦了。而且他们约法三章,绝不互相抱怨。"不管什么状况,都不能说出埋怨对方的话。"因此多年下来,没有一般事业伙伴"这件事都怪你啦!""可是这件事你也同意的呀!"之类的争吵。

创业之初就有几个很清楚的概念:

一、不轻易喊停。谁都可以说不做,只有他们两个不能说不做。

二、绝不能彼此责怪。就算有一天真的失败了,或是彼此之间有什么争执,都不透过卸责。

三、他们是生命共同体。无论多大挫折,只要在一起,什么困难都冲得过。

两人的默契与同心,是琉璃工房能够走到今天的主要动力。

身为"爱人同志",他们令许多人"只羡鸳鸯不羡仙"。

有段时间,朋友建议说,琉璃工房现在已非草创时期,必须更有效运用人力资源,董事长、总经理不应该天天同进同出,"好像两个人做一个人的事情"。朋友一番好意,姑且从善如流吧!但是明眼人都看得出,杨惠姗一个人在工作室,魂不守舍,"好像掉了什么东西似的!"张毅一个人在外面跑,也仿佛处于"漫步月球的失重状态"。无怪乎过没几天,又恢复形影不离。

还有人问,每天你侬我侬,二十四小时工作在一起、生活在一起,会不会"腻"?公私怎么分清?眉眼弯弯飞舞,像开玩笑,张毅脱口而出:"我们根本公私不分!"

杨惠姗的回答比较实际:"不错,一般婚姻专家都建议夫妻要有独立空间,一般人也不愿意和另一半在同一个公司上班。但是我认为人生短短数十寒暑,能和

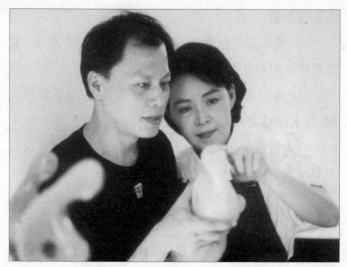

两人工作在一起,生活在一起,形影不离。

心爱的人时刻相伴,是一种莫大的福分,应该好好珍惜才是。"

"形容一下你们的日常生活?"

"其实就像平常夫妻。他非常重视生活品质,也很有情调,我们配合得很好。常听说有人为了要看哪一部电影吵架,我们永远不可能的,都是他决定看什么就看什么,因为他选的都很好嘛!而且就算今天不看这部,下次还是可以看呀!生活上的步调、想法和喜好,也都蛮一致的,譬如以吃的来说,我们俩胃口都非常好,什么都吃,旅行到任何国家,没有吃过的菜都要尝一口。"

在大陆结识的挚交、《文汇报》驻北京主任记者唐斯复观察到："他们之间非常默契，往往无须说话，靠着手指、语气和肢体细微的动作，便达到行动和谐。……他（张毅）宁愿隐藏自己的才华，一直站在杨惠姗的身边，像一棵挺拔的、可依靠的大树。"

杨惠姗深情又理智，徐徐表白："张毅最懂得我，如果我有任何成就，那也不过是他的光芒的反射。"

如同"人"字的两撇

既是领袖，又是梁柱，张毅、杨惠姗的关系有如一个"人"字的两撇，互相支撑，缺一不可。

他们不一定是最有才华的人，但一定是最努力的人之"二"。

"当初在演艺圈的时候，就为了常常头不沾枕而苦恼，离开以后，我们最大的希望就是生活、睡眠都能比较安稳正常；没想到好像天生没有睡觉的命，开始做琉璃之后，反而睡得更少。"毕竟，对两个近四十岁才"再创高峰"的人来说，时间是他们最大的敌人。十几年来，日历上没有"星期日"（最大的奢侈可能只是多睡一两个小时），员工们都可以请特休，但张毅、杨惠姗没有休过一天假，"因为我们要做的事情太多太多！"

刚盘下莺歌厂的时候，杨惠姗早上 6 点学英文，工作到半夜才回家,时间不够用,睡觉都觉得奢侈。经常,通宵雕塑,不觉东方微明,别人梳洗,她也干脆梳洗,"只是人家刚起床,我还没上过床!"自认为"铁打金刚"的她,言下颇为骄傲。每当她和起早练太极拳的婆婆打照面,"妈,早呀!""早什么早,又熬夜啦!小心身体!"老太太满眼疼惜。

1998年7月,北京故宫博物院展览之前,他们联袂去北京安排布展、宣传事宜,酷暑、劳累、体力透支,加上高血压的老毛病,张毅竟然突发心肌梗塞,紧急送往医院,连医生都捏把冷汗,"这条命是拣回来的。"

目前亲人、朋友最担心他们两个人的健康。

其实,他们内心深处最大的隐忧也是张毅、杨惠姗中间若有任何一个人缺席,琉璃工房将遭遇极大困境。张毅曾经剖析:"作为琉璃工房的导演,我深深了解,我和杨惠姗中间有任何一个人倒下去,这个戏就演不下去了。"

有情有义,带人带心

以他们的感情为原点,画出同心圆,像一个温暖的太阳,将感情放射到琉璃工房到每一位伙伴身上。

在淡水工作室,只有专业分工,没有地位高低,同事间都叫绰号或别名，称张毅为"张大哥"；杨惠姗为"杨姐"。

做起事，不分大小、不计较身份。张毅、杨惠姗经常放下架了，凡事亲力亲为，翻蜡、调石膏、钉磨板、绑铁丝、拆石膏模、切割、研磨……老同事张大洲记得，每次进原料，一包石膏粉 25 公斤，大家卷起袖子一起搬，从地下室扛到二楼，搬完以后，每个人从头到脚白白的，像沾满糖霜的甜甜圈。

领导，有情有义，带人带心；尤其是"疑人不用，用人不疑"这一点做得相当好。"我会待这么久，是因为他们相当信任我，交给我 300 万元，不会问怎么这样快花完了呢？都花到哪里去了？因为他们相信你绝对是花在公司上。对我来讲，信任比给我任何职位、多少薪水都来得重要。而且他们给人的感觉是，无论遇到什么困难，他们随时都在你后面，你一回头，就可以找到他们。"资深伙伴王秀绢说。

"对我们的付出，远远超过老板对员工的义务。"工程师林志昌也说，刚创业的时候，由于人手不足，每个人都会分配到清扫工作，有一次，狗狗大便在门口，虽然已经有人扫过了，但张毅觉得不够干净，他并未发号施令："谁谁谁，你再去扫一遍！"而是脱下西装，解开衬衫，拿起水龙头就刷刷刷地冲洗起来。洗完之后，臭汗淋漓，赶快洒一点古龙水遮掩，因为安排来参观的客人马上就要到了。

有时候，年轻的伙伴拖地板，用拖把比画两下就交差。不久，看到一高大汉子上楼来，提着一桶水，拎几块抹布，跪下来开始擦地，同时"机会教育"："地板要用抹布，才不会有痕迹，水要经常换……。"

连洗狗工作都成为一种"身教"。

琉璃工房特别重视伙伴整体素质的提升，从穿衣、走路、应对进退，都循循善诱。陶惠萍记得，有一次正在贴邀请函信封上的邮票，贴得歪歪的，张大哥看到了，心平气和地说，设想你完全不认识琉璃工房，看到这样一个信封，你对琉璃工房的印象会好吗？就连去路边摊吃饭，也会很细心观察，和伙伴分享心得："你看他们工作得多快乐呀！"

"爸爸"和"妈妈"

照顾员工无微不至,不亚于父母亲对子女。

杨惠姗、张毅感觉纤细敏锐,对每个伙伴的个性、嗜好都很了解。平常聊天,知道谁喜欢什么,生日时或出国回来,就带给他一个意外的惊喜。几乎工房每个小朋友都有一些他们送的玩具或宝贝。

七八年前,这一对"爸爸"、"妈妈"带着一群二十岁出头的小朋友到日本旅游进修。其中一个女孩子在出发前特地买了一双新鞋子。不料到了日本,新鞋中看不中穿,打脚打得凶,后脚跟都磨破了,举步维艰。"爸爸"张毅让"妈妈"带领其他人继续旅程,自己护着小女孩穿大街、走小巷;又是买鞋、又是买OK绷,让她换上好走的鞋,再赶上队伍。

淡水工作室旁边有一个果园,"爸爸"会去摘番石榴,洗一洗,拿到工房来给大家尝鲜;下午茶时间,他会跑到淡水街上买点心,一回来就大声吆喝:"吃东西啰!"伙伴加班,张毅自己下厨房煮面招呼大家来吃;如果他发现伙伴精神不济,晚上不适合开车,就会自告奋勇当司机。

杨惠姗则把伙伴看成自己的孩子,母性十足。

王秀绢记得，有个台风夜，室友正好出去了，留她独守偌大工作室。外面风雨交加，忽然电话铃响起，杨姐打来的。闲话家常，再谈公事，拉拉杂杂，聊了快三个小时。秀绢正在纳闷，今天杨姐怎么话这么多？此时室友正好推门进来，她恍然大悟，原来杨姐是担心秀绢害怕，不着痕迹地陪她度过独处时分。

情感凝聚大家庭

琉璃工房最大的凝聚力量就是"情感"。

夏日清晨，踏入淡水工作室，一张张阳光灿烂的笑脸，在打卡机旁边只听见"早呀！你好！"问候声音此起彼落，中午用餐，笑语喧哗，靠大落地窗的一桌，显得特别热烈，原来是伙伴们正在猜拳，输了就要帮全桌的人洗碗。

吃饱饭，几个精力旺盛的小伙不睡午觉，拎着大水桶、买条炸弹鱼当饵，又蹦又跳冲到海边，钓鱼、浮潜，乐乐呵呵！台北的车水马龙、灯红酒绿，哪及得上这个世外桃源。

几位在淡水租房"同居"的伙伴，称自己的小窝为"四海一家"，不时办些烤肉、聚餐活动，如果没有邀请"张大哥"和"杨姐"，还会被酸酸地质问："怎么没有我们的份呀！"

因为有情，琉璃工房的管理流泄着"以人为尊"的主旋律。每月举办一次庆生会，由各小组轮流规划安排，点子疯狂、欢乐成分高。蛋糕不是拿来吃的，而是拿来砸的，张大哥、杨姐也加入蛋糕大战，无一幸免。

琉璃工房的尾牙聚餐，只要参加过一次就会终生难忘。那一天，解除禁酒令，不分长官属下，单挑也好、打通关也好，"爱拼才会赢"，热力直冲屋顶。

淡水工作室的伙伴为杨姐庆祝生日，蛋糕大战一触即发。

严冬送温情

琉璃工房上海厂的第一个冬天真的很难熬。临时厂房简陋，没有空调设备，也没有锅炉，平均气温摄氏五度，大伙儿胼手胝足地实验运转。眼看有些外地来的孩子就靠一件夹衣度冬；而研磨科的小朋友，双手长时间浸在冰水里，起皱、龟裂；可急坏了杨惠姗和张毅。

赶快交代厨房，每天下午一定要有顿热点心，让大家暖暖肚子（那段时间去七宝厂的客人，常能"衬"（赖到吃点心时间）到一顿美味：赤豆红枣羹、刚出蒸笼的大肉包……"。

一天，他们俩进城去，回来的时候，带了上百件黑色羽绒背心，每人发一件，"羽绒又轻又保暖，背心穿起来也不防碍工作。"体贴的杨惠姗这些细节都想到了。整个冬天，董事长、总经理天天穿着那件背心，和员工一块儿工作。不但暖了众人的身，更暖了众人的心。

王秀绢有感而发："找一个工作很容易，但找一个像这样的公司和老板不容易。"

看在眼里，感动在心里，许多伙伴对自我的严格要求油然而生。例如写日报表，有时累得已经趴下睡着了，醒来一看，发现字迹有点潦草，"不能辜负二位期望,"想想,还是打起精神重抄一遍。

行销部同事也会时时警惕,自己穿着光鲜,待在冷气房,回头一望,有一群人天天汗如雨下,劳心劳力,"面对社会的时候,自然会有一份责任感及团队意识,绝不能讲错一句话,走错一步路。"

杨惠姗、张毅,这一双在阡陌中携手同行的旅者,在琉璃艺术中净化了身心,升华了情操,也感染身边众人。

人生志业,心无杂念;天使比翼,世间至善!

第二章

夜空交汇的星

只有真，只有善，只有如赤子。

身在莲花，面对人世间，

一笑相迎。

——莲花之子

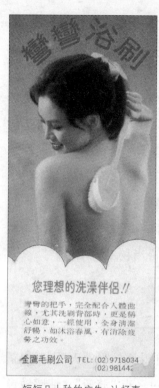

您理想的洗澡伴侣!!

弯弯的把手，完全配合人體曲線，尤其洗刷背部時，更是稱心如意，一經使用，全身清潔舒暢，如沐浴春風，有消除疲勞之功效。

金鷹毛刷公司　TEL：(02) 9718034
(02) 981442

短短几十秒的广告，让杨惠姗的名字家喻户晓。

"弯弯浴刷、弯弯浴刷，陶醉在弯弯里……"酥软甜腻的歌声，搭配轻盈柔缓的画面：雾般蒸汽熏然，一位面庞清丽、肤若凝脂的女孩正在享受沐浴之乐，"扑!"玉手一滑，白白弯弯的香皂顺着优美肩线一溜而下，勾引无限遐思……。年纪约莫在三十五岁的电视观众，可能依稀记得，就是这短短几十秒广告，"杨惠姗"这个名字开始家喻户晓。

进入演艺一行，这位十多年前的熠熠红星说，只能归因于一个奇妙"缘"字。

"我在台中静宜读书，有一年放暑假，回台北抚远街的家。那天我和家人一起出门，走到半路忽然想起忘了带一件东西，小叔叔陪我回家拿。第二次出门，搭上大有巴士五路，因为是起站，我们都有座位，叔叔坐在司机右边第一个位置，我坐他后面。几站以后，上来一对父子，小男孩没位子坐，又够不着拉环，摇摇晃晃的，我招

21

呼他过来，在我旁边挤一挤。他爸爸开始和我闲聊，问我想不想去演电视。后来才知道他就是中视制作人兼编剧王中平。"

"马上要开学了，我没有当回事，还是回到学校读书。第二年暑假，又接到王中平的电话，我抱着打工的心情，第一次参加连续剧演出。"

聊着聊着，杨惠姗莞尔一笑："其实我从小并不觉得自己比别人漂亮，压根儿没想到会进入这个圈子。小时候的愿望是和父亲一样当老师。上了静宜，因为学姐大部分毕业后都当秘书，我又觉得当秘书也不错。"

小小快乐"放山鸡"

她承认自己是个"开窍开得比较晚的人"，循规蹈矩，日子像平静湖水，不曾起过一点"涟漪"。情感敏锐度也低，没有什么"少女思春"的烦恼。只记得高中的时候，有一个男生到家里来找她，她就让人站在门口，有一搭、没一搭地应付，心里却拼命嘀咕，怎么还不快点讲完，蚊子咬得痒死了！

描述自己小时候"在一群人里面，绝不会被注意到"的杨惠姗，最不喜欢出风头。有一段时间，家住花莲玉里，老师因为她国语最标准，派她参加演讲比赛。"被强

幼年时的杨惠姗，后排站立者为父亲，前左为母亲。

迫的，好痛苦，老师教的那些很'驴'的手势，我又做不出来。正式比赛的时候，我才上去讲了一小段，下面全忘了，就直接跳到'谢谢各位'，结束! 我看得很清楚，那些裁判突然抬起头来，愣住了!"边说边哈哈大笑，完全跌入童年的欢乐里。

虽然学业表现平平，在音乐、体育及美术上倒是得心应手。曾参加过学校合唱团，还入选排球校队; 至于美术嘛! 从小学到高中，她所画的画几乎没拿回来过，因为都被老师拿去给别班同学"观摩"了。

"谈谈你的家庭?"第一次正式采访,不能免俗地问。

偏着头,想三秒钟,开口竟是:"一个爸爸、一个妈妈!"

据她自己分析,艺术天分可能和母亲的遗传有关。

杨妈妈出身名门,虽然属于旧时代女性,但在父亲栽培下,受过高等教育,写得一手漂亮的英文书写体。因为家境富裕,兄弟姊妹都多才多艺,杨惠姗曾偶然兴起"逼"妈妈画漫画,哎! 好好玩! 两三笔画出一个小女孩,穿着篷篷裙,戴顶小帽子,笔法生动流畅;听姨妈说,母亲还会玩夏威夷吉他,可惜从没机会显露过。

杨爸爸毕业于黄埔军校十二期,曾是位风流倜傥的飞将军。小时候由于身体不好,没办法正式入学,在家里由琴棋书画样样精通的母亲启蒙;一口英文呱呱叫,也是母亲打下的根基。也许因为自己"破格"的成长历程,杨爸爸对三男二女的教育一向不逼迫死读书。小幺妹惠姗常跟着哥哥爬树、骑牛车,像一只快乐"放山鸡"。

说到高兴处,比手画脚,"以前普遍家里都穷,孩子会到大自然里找零食吃,小果子啦! 啃起来甜甜的树根啦! 还有一种红花的花蜜,蜜吸完了,可以用红花染指甲,一点点红就好兴奋。我觉得现代那些只能玩芭比娃娃、无敌超人的孩子蛮可怜的。"

奇妙因缘踏入行

偏偏因缘际会，这么一个女孩，成了万千瞩目的公众人物。

踏入影艺圈，最早从台视开始，跑过龙套，也主持过一些小节目。原本一直打算完成大学教育，但拍了"弯弯浴刷"广告之后，被中视慧眼识英雄，签下一年合约。这期间，她主演了连续剧《春归路》，饰演一位青年女教师，非常成功，打破当时连续剧一般播三十集的惯例，共播出六十集。据说，立法院开会，有些老委员六点就要求散会，回家看《春归路》去也!

所谓"命里有时终须有"，演电影的机会随之而来。最早一部片子是由上官灵凤担纲的"五娇娃"，她没有对白，"只是活动布景"。接着又陆续拍过《问斜阳》、《小丑》、《大人物》、《魔宫神盒》《红粉游侠》、《小妞、大盗、我》等电影，逐渐窜红。

从影期间，举凡影坛流行过的题材，杨惠姗总能"抢搭巴士"，并成为其中佼佼者。"赌片"风行时，她在《赌国仇城》中化身为冷艳狡诈的章寡妇;"社会写实片"当道，她在《错误的第一步》中演活了放荡不羁的娼寮妓女；"喜剧片"捧红许不了，她又搭档演出《小丑》，活脱脱就是一个楚楚堪怜的贫弱盲女。

杨惠姗用实力证明自己戏路广泛、演技精湛，也赢得了"千面女郎"、"多面夏娃"的美誉。

早期拍过许多社会写实片，本片中饰演赌后。

当时新闻记者对杨惠姗的形容是"身材露得起也敢露，匀称的三围、修长的双腿、健美的肤色，自然成为摄影师猎取的对象，细数杂志封面女郎，以她的曝光率最高。"不知是谁起的头，说杨惠姗有"天使的脸孔、魔鬼的身材"，这个名号后来不胫而走。

前后 12 年，共拍过 124 部电影，如果以最起码一部片子 300 万票房计算，杨惠姗至少为台湾电影创造了 30 亿元的市场，最高纪录一年拍 22 部戏，曾有人说，西门町的电影广告看板不但全让杨惠姗给包了，上片时"杨惠姗打杨惠姗"，又有一场热闹可期。

天使的脸孔，魔鬼的身材。

老天爷赏饭吃

除了先天条件优异，片约不断的另一原因是她很"好用"。什么环境、什么道具、什么戏分，都尽量适应、安之若素。

一般演员常说等待的时间最难熬，但她不然，没戏的时候，最喜欢"看人"一颦一笑、举手投足，都是观察、揣摩的对象；片场闹哄哄，却是她的理想教室。另外，无论拍电视、电影，演员最怕听到导演喊"NG"，而杨惠姗总能心平气和地磨戏，甚至主动要求重来。

工作时，她没有星妈跟前跟后、煲汤进补，而是随着大伙儿一天三个便当解决民生问题（听别人抱怨便当难吃，她心里想，其实还好嘛，有时候一顿可以吃两个），和剧组打成一片。

无怪乎她曾那么"红火"，曾同时连轧八部戏，十天十夜不眠不休。最高杆的是：一天之内转换多种角色，台词绝不搞乱，服装也都连戏；甚至情绪都能马上进入，记性比场记还好。几天几夜没睡觉，眼睛一点血丝不见，灯光一打，炯炯锐利，圈里人都说这是"老天爷赏饭吃"。

因为忙得根本没时间回家换装梳洗，车子就成了她的流动旅馆。后车厢一打开，从晚礼服到牙刷一应俱全，像个逐水草而居的游牧民族；戏在哪里，人就赶到哪里。"好在当时年轻，有副铁打不坏的身体，真的累狠了，就蜷在车上打个盹儿；醒了后来不及卸妆，直接在旧妆上面涂涂抹抹。"那段紧凑奔波的日子里，爸妈心疼女儿，劝她注意身体，奈何"人在江湖"，一部接一部，结果她"拍了很多电影，却没有时间看自己演的电影"。

铆足全力，认真敬业

星海险恶，缺背景、没靠山，几度浮沉，终究能跻身当红巨星，全靠四个字——"认真敬业"。

她曾在华视主持过"千里单骑"节目，片头是她骑着一辆重型摩托车，奔驰在一道堤防上，堤防仅仅一公尺宽，下面是布满鹅卵石的河床。傻女孩看起来架式十足，其实根本就不会骑摩托车。导演一声令下，她加足油门向前冲，迅雷不及掩耳，车头翘起来，随之车翻人倒。要不是天公保佑，早跌个头破血流。

还有一部戏是在寒流袭来时拍的,摄氏六度,杨惠姗演一个水母精,造型为一件肚兜,外罩薄纱,一条迷你裙、配一双绑带子的罗马式凉鞋。摄影机架在对面山丘上,剧情是这个水母精从水里出来,初到美好人间的欢欣喜悦。"导演叫我往水里面走,整个人埋下去,数到五慢慢站起来。那真叫寒气刺骨,全身好像有几千根针在扎。"

拍《博多夜船》海边外景那次最危险。导演要她面向浪花躺着,海水一遍又一遍打在身上、脸上。她不会游泳,不懂得换气,海浪一波波冲进鼻孔,差点窒息。

和她合作过的女星林青霞、叶倩文曾经向记者形容,"杨惠姗好像没有痛神经似的。"例如拍朱延平导的《红粉兵团》,有很多爆破镜头,难免受伤,女演员经常大哭大叫,只有她不吭声。其实血流如注,她怎么不痛,不哭不喊,全仗咬牙强忍。

朋友好意相劝:犯不着这么为戏牺牲,但她一点也不认为有什么"牺牲"。"这是我自己的选择,表演是我的工作,我时时刻刻想把工作做好,脑子里只有这个念头,即使是用最笨的方法。"还有人讥讽:拍的全是些"烂片",她却很珍惜这些"烂片",每一部戏都铆足全力:"既然有人找我拍戏,就是我的责任,能做多好我不知道,我只知道尽最大的努力。"

心态健康，才能得到许多学习、磨练的机会，"囤积"经验与能量，一旦碰到适当引导，就一股脑儿爆发出来。

台上台下分得清

演过上百部电影，体验过上百种人生，然而杨惠姗把台上和台下分得清清楚楚：下戏后，她不涉是非、不喜应酬、不串门子、不"三缺一"，给人一种对未来没有野心，对事业不热衷经营的印象。《民生报》影剧版资深记者高爱伦曾打趣说，每次报道杨惠姗最痛苦，都要帮她"编故事"，因为接受采访时，她只有"是"，"不是"、"不知道"三种标准答案；"微笑"一种标准表情。

也因为如此，在电影这个"大酱缸"，杨惠姗一直洁身自好、不沾恶习。被征召赴各地参加任何义演、影展，都是最配合、最服膺团队精神的成员；加上谦虚、坦诚、自然的气质，在演艺界成为经常受表扬的"正面教材"。

谈起心爱的幺女，杨端孙说，无论子女喜欢什么，他都全力支持，对惠姗进入演艺界也抱持平常心。他只希望惠姗做到三点：第一要用功敬业、争取荣誉；第二不要染上演艺圈不好习惯；第三成名之后绝不可以耍大牌。开明如他，甚至为女儿打气："行行出状元，今日演艺人员的地位，已经不像以前的'戏子'那般低落，梅兰芳不是以艺人身份获得国外致赠的博士学位吗？"

从新电影运动中走来

翻开台湾电影史，1982年绝对是一个值得大书特书的转折点。

一群新锐导演以《光阴的故事》舞起"新电影运动"旗帜。在这部由四个独立故事组成的电影中，第四段叫做《报上名来》，导演为张毅。

1985年，他以"我这样过了一生"囊括金马奖最佳剧情片、编、导、演四项大奖，成为台湾"新浪潮"第一位得奖导演，替同时期的导演杨德昌、柯一正、陶德辰等扬眉吐气。

毕业于世界新专电影制作科编导组，走进电影行业似乎再自然也不过，其实张毅和电影的因缘远远早于此。祖籍北平，开始咿呀学语，就是一口"带卷舌儿"的标准发音，小小年纪已懂得语言的魅力；自己爱说不算，还有很多人爱听。"身为家里长子，父亲对我期待甚高，刻意训练，早早教我识字，很小就能读《三国演义》、《郑成功传》、《岳飞传》，滚瓜烂熟、倒背如流。每每家中来客人，饭后余兴活动就是看我表演，房子不大，爸爸把我抱到床上，大人围坐听我说故事、念童谣。对着一盏摇呀晃呀的电灯泡，像是对着麦克风，可以东扯西掰说一个晚上。"

小学的时候，名列演讲比赛常胜军，算是出名的小"红"人。每次老师去开会，留下小朋友自习，同学都会拜托他说故事。甚至隔壁班同学也来请，还会准备一袋袋冰冻过的小蕃茄，作为请他说故事的"报酬"。

"所有人都在听你说话，那种感觉很过瘾！"多年后想起来，张毅仍有几分得意劲儿。

永远怀念父亲

在张毅的生命历程中，父亲无疑影响重大。张爸爸曾从事香蕉出口生意，家道颇丰。长子张毅的诞生让他比"中了爱国奖券还高兴"，宝贝儿子很少睡床，几乎都是抱在手里抱大的。

除了引导他大量读书识字，这个英气焕发的小男生，还经常被父亲带去宴会、应酬场合，训练观察力，早早洞悉人际往来的蛛丝马迹。"爱之深，责之切"，父亲对他管教也很严格，每天，规定他要写满两大张报纸的毛笔字，才能出去玩。现在，从张毅一笔挥洒自如的"颜体"，可以看出当年父亲所下的功夫。

幼稚园时的张毅(前排左)与父母及弟弟。

记忆中的父亲，是个疼太太、爱孩子的男人，烧好了饭，一定等孩子们吃完，自己才用一个大碗，盛点剩下来的饭菜，三口两口吞下，对付一餐。每天早上起来帮孩子准备便当，连皮鞋都一双双擦得雪亮，整整齐齐摆在门口。因此，张毅从小就习以为常：团体中最年长的一个，有责任照顾其他年幼的人。看看如今他在琉璃工房"公鸡带小鸡"，下厨煮面给大家吃毫不勉强，耳提面命骑机车的伙伴要戴安全帽，似乎都是一脉相承。

张毅曾在一次演讲中提到"一袋红豆"的故事，充满对逝去父亲的怀念。他记得，念小学的时候，兄妹们很喜欢吃一种糖红豆(甘纳豆)。每天傍晚，爸爸的脚踏车一转进巷子，前脚不等后脚，大家冲上前去，口里喊着爸爸，几只小手已经伸进大口袋去拿红豆了。多年以后，他一个人细细回味这些片段，猛地醒悟，从台北桥附近的家里，到父亲工作的南京东路，原本可以乘公共汽车，一趟七毛钱，来回一块四，但是爸爸为了省下公车票钱给孩子们买糖红豆吃，宁愿每天辛辛苦苦踩脚踏车上下班。说着说着，父亲那衣襟上那片汗渍仿佛在脑海中扩散开来，他眼里的晶莹也扩散开来……。

张妈妈眼中的张毅，从小就是个与众不同的孩子，倔强但不孤僻；有主见却不刚愎。虽然时隔多年，有两件事张妈妈印象还很深刻。有一次，大概还没上小学，

张毅在院子里跌倒了，年轻妈妈冲出来，儿子额头伤口
之深，可见白骨，血流满面，妈妈都快吓昏过去，可是小
家伙在医生缝针的时候，竟然抿紧双唇，不哭不嚷。另
一次，应该已经上小学了，一群孩子玩球，扔来扔去，
"哐当!"一声，把邻居家玻璃窗砸破了，别的孩子吓得
一轰而散，只有张毅定定站住不动，想一想，脸红红的，
走上前，一字一句："欧巴桑! 对不起，等下我会叫我妈
妈来赔。"

翻拣张妈妈珍藏的一些旧相片，和今天的张毅对
比，气质始终如一。有一张是十岁左右，他站在前排，目
不斜视，双脚并拢，中规中矩；另一张坐着，挺直背脊
骨，神态从容，充满自信。

文学之蕾初绽放

这个被张妈妈形容为"脾气梗"的孩子渐渐长大
了，仍然爱说故事，不同的是，他改用笔来说故事。

读初中时，张毅出任校刊《成渊青年》主编，向同学
邀稿，没想到反应冷淡。他气不过，求人不如求己，真名
加笔名，干脆把全部文章通包了。其中有一篇战争武打
小说《除夕》，叙述一群蛙人在除夕夜摸黑外出执行任
务，结果只有一个人生还返回。交杂着激烈的武打场

高中时代。

面、复杂的人物性格描绘，老师看了，硬不相信出自一个孩子手笔，逼问他哪里抄来的。

这个时期，他开始看翻译小说，《少年维特的烦恼》、《约翰克里斯朵夫》……，与伟大的文学灵魂神交。老师上课口沫横飞，他头也不抬自己搞创作。周记上"一周大事"全部空白，只有"生活检讨"一栏写得密密麻麻，老师骂他，"光写那些有的没有的"。

高中以后，张毅个头抽长，挺拔俊秀，言行举止透露些许早熟，才华洋溢却难掩叛逆。17岁一头栽进恋爱，三不五时和女朋友逃课出去玩（张妈妈一直觉得这是他大学没考好的主要原因）。

高中时代的张毅。

十九岁那年上成功岭，本来很不甘心要被剃个大光头，没想到头没剃，却体检出来有高血压的毛病，给退训了。父母都不相信这个打橄榄球的儿子会有高血压，开刀"花掉了半幢房子的钱"，他也第一次意识到有"死亡"这回事。

开完刀，在医院休养，闲着无聊，开始写小说、投稿。所谓"人不轻狂枉少年"，他"不屑"投给一般报纸副刊，偏投到学院味较浓的《中外文学》和《现代文学》。其中一篇《侄子》得到《中外文学》文学奖；而由颜元叔、胡耀恒所办的《现代文学》刚创刊，刊登了他的一个短篇《蔫了的玉兰花》。颜元叔和洛夫认为，作者将来可能是中国文坛的另一个张爱玲(这些小说后来集结为《台北兄弟》一书，由尔雅出版社出版)。带点自负，又有些压抑，他追忆当年："躺在医院，听到这些话晕淘淘的！"

从编剧到导演

世界新专三年，坦承没有好好读书，却以优异成绩毕业。之后短暂任职于农复会、国泰建业广告公司，还主编过《影响》杂志。曲曲折折绕了一圈，这个从中学起就跷课看电影，只要有电影看，饭可以不吃的小伙子，终究还是一脚踩进电影圈。

最早，陈耀圻老师想拍一部有关台湾先民的电影，邀他执笔写《源》这部小说 (上、下册，由新生报社出版)，后来又参与改编剧本。带着自我嘲讽意味，他追述："我充分发挥了煽情的本领，很多故事情节他们舍不得丢，愈拍愈长。"这部大制作、大堆头的电影，原本被寄予厚望，没想到开高走低。正当各界交相指摘，1980 年，张毅偏又"大爆冷门"，获得亚太影展最佳编剧奖。

次年，从《光阴的故事》正式执导演筒，后来又导了

在台湾"新电影浪潮"中，人称张毅为新锐导演。

《野雀高飞》、《竹剑少年》。《野雀高飞》叙说三个问题少女和一位绝对热情理想主义的神父之间的故事，虽然《联合报》记者黄寤兰认为："一股透视深切的锐气令人耳目一新，处理手法干净利落，将有趣的对白、书面交错，产生荒谬喜感。"可惜上映之后门可罗雀。《竹剑少年》由自己的小说改编，上演后，命运也好不到哪里去。

小说、电影一直是张毅精神的依凭、生活的重心，在创作的领域里，这两者相互关联，他不停寻找创作素材和捕捉启发，来表达心里想说、要说的话。

可惜张毅没有继续走文学之路，许多人甚至忘了他具备这方面的才情。两年前，台湾故宫博物院举行

"雕塑别藏"展,他受邀在《中国时报》上发表一系列"佛菩萨造像艺术赏析"的文章,赢得广泛好评。《时尚》杂志发行人刘炳森赞赏说,比起许多功成名就的散文名家,张毅的文字充满感情,也可以看出他这些年来的生活体悟,是有大精进的。

对他而言,导演之路何其坎坷呀!票房连连失利,不屈服、不妥协的理想性格,又难以迎合现实环境。尤其在人际关系方面,他几乎完全"冷感"。"我用我的方式完成我的作品以后,任何责难我都承担得起,解释是多余,抗辩是无聊,我不想说。"现在一些资深影剧记者聊起来,都还记得那个"年轻气盛、恃才傲物"的张毅,他不喜欢记者来胡乱指挥、干扰片场,问些无聊问题,甚至看见记者走过来,立刻收拾东西走人。难怪那段时间见报的消息总不太友善,甚至有点故意"修理"他的嫌疑。

幸而前辈导演李行独排众议,拍《玉卿嫂》一片时,将导演重任交给张毅。同时几经周折,女主角终于敲定由杨惠姗担纲。

或许谁也没料到,这个好像很冒险、又有点勉强的安排,为台湾影坛催生了最耀眼的电影、导演及女演员,甚至可以说改写了两个人的下半生。

夜空交汇的星辰

且将想像力松绑:当年张毅、杨惠姗这两颗原本各有运行轨道的星辰,在宿命安排下交会,那一刻,必定非常神奇、绚丽多彩,甚至石破天惊吧?

知道实情后恐怕要失望了。

那天,由李行导演安排,在座的还有白先勇、名制片人黄卓汉、张雨田、萧菁。杨惠姗晚上刚在东王汉宫作完一档秀,请乐队及舞群吃饭,中间抽空到楼下咖啡厅照个面。

在此之前,她只听说台湾有一批所谓的"新锐导演",电影观念比较新,好像很活跃,但并不知道谁是谁,脸孔和名字也对不上。

坐定下来,正好和张毅隔张桌子,面对面,距离约两公尺。

李行导演开始谈种种构想,他们两个人则几乎没开口过。

已不记得是谁问的:"有没有看过白先勇的小说《玉卿嫂》?"当时杨惠姗觉得很"糗",但还是据实以告:"没有。"

那晚,杨惠姗并不太清楚他们要拍一部什么样的戏,对张毅的印象也只是"很年轻,长得也不错,不大说话"。张毅对杨惠姗的感觉则是,"灯亮着,人不在"。什么意思?"感觉上空空的,好像事不关己。"不过,倒是注意了她的一双手,因为心中酝酿的、理想的玉卿嫂,必须有一双表情丰富的手。

敲定女主角之后,张毅还存着"演不好就换人"的打算,特别不满意杨惠姗的两道深眉,不像典雅婉约的玉卿嫂。据说杨惠姗听到之后,二话不说,把眉毛剃了。"需要什么样的眉毛,导演你自己画好了!"

"从开始定装、试戏,才发现他很不一样,"杨惠姗说,接触过这么多电影圈的人,观念、想法、处理事情的模式都差不多,起伏不会太大;但张毅很特别,常常有新的思考角度,"而且讲出来一定有一套完整的道理。"

杨惠姗推掉其他片约,刷洗多年晕染,把自己还原为一块空白画布,让张毅在其上尽情挥洒。

1984 年 11 月 18 日晚上,台北国父纪念馆闹热滚滚,正进行第 21 届电影金马奖颁奖典礼。杨惠姗的亮度光耀全场,同时以《小逃犯》(张佩成导演)、《玉卿嫂》被提名角逐金马奖影后。

果然,杨惠姗以《小逃犯》一片封后;《玉卿嫂》夺得最佳童星奖。不久之后的亚太影展,杨惠姗再以《玉卿嫂》一举夺下后冠;张毅的导演才华备受肯定。

《玉卿嫂》一鸣惊人

《玉卿嫂》电影和原著一样，都是透过"容哥"这个娇生惯养小少爷的眼睛，来看奶妈和年轻干弟弟庆生之间的恋情。故事叙述容哥非常喜欢他的新奶妈玉卿嫂，穿衣、洗澡、睡觉都离不了她，可是玉卿嫂常常请假回婆婆家。有一次，容哥跟踪奶妈，发现她私下去见一位白白净净、体弱多病的干弟弟庆生。身为家中独子的容哥高兴有了新玩伴，玉卿嫂则和小主人约定不能泄露秘密。后来容哥带庆生去戏园子看戏，庆生迷上了金

以《玉卿嫂》一片夺得金马奖后冠。

家班的刀马旦金燕飞，甚至打算离开玉卿嫂，随戏班去
跑码头。玉卿嫂见庆生和金燕飞情愫日浓，自己对庆生
所付出的深情将成泡影，决定玉石俱焚，在一个大年三
十的夜里，用刀杀死庆生，然后自杀。容哥目睹了鲜血，
成为他"结束童年的关键"。

在戏里，打从玉卿嫂一亮相，无比端庄大方、落落
有致，一只玉环、一副耳坠，轻颦浅笑，处处流露含蓄之
美。寡妇玉卿嫂的情欲内敛无痕，举手投足的小动作
间，却暗藏情绪起伏。在张毅悉心安排调教下，无论拧
毛巾、晒衣裳、杀鱼、拔白头发、揽镜梳妆、搓汤圆等等
动作，杨惠姗都能层次分明地掌握，体现玉卿嫂的心理

"玉卿嫂"中情感内敛的奶妈。

变化。

"人家说我演得入木三分，其实我只是他(张毅)心目中理想形象的反射，有些动作我刚开始还会觉得很别扭、很做作。"杨惠姗印象特深，试水温的那一场戏，一开始她的手就直接伸下去了；张导演很有耐心，反复要她想象，玉卿嫂出身大户人家，虽然委屈帮佣，但应该还保留很多闺秀气息，像她这样一个女人会怎么试水温呢? 最后磨出反手入水的动作，纤纤兰指，柔若无骨，撩起浅浅水花，令人拍案叫绝。

银幕前，张毅似乎成功营造出一种台湾电影前所未有的氛围，奠定他在影坛一席之地，但私下里他自己都很茫然："20年代白先勇的家里，是一种什么样的环境? 我根本不懂当时的中国。他们给我几把太师椅，我连摆都不会，因为我没见过那样的家。"

文学作品被搬上银幕，以不成功居多，因为原著思绪可以不受限制地自由发挥，电影始终不如原著精彩。然而影评人齐壬隆认为，《玉卿嫂》证明将原著精神表达得"接近"完美；"张毅最成功之处，是将古典、传统的表演方式，赋予新生命、新力量，整体呈现现代的'新古典'风格。"

《我这样过了一生》挥出全垒打

第二年,他们再度合作《我这样过了一生》。

杨惠姗在剧中饰演一位名叫桂美的女人,二十多岁嫁给鳏夫侯永年,成为三个孩子的后母。丈夫好赌丢掉饭碗,她想办法到日本帮佣、替餐馆打工,攒的都是辛苦钱。回台湾之后开了家餐馆"霞飞之家";当儿女成家立业之后,却发现自己已罹患癌症,不久人世。

全片反映了台湾的社会变迁,也体现中国传统"家"的意义。影评人认为,杨惠姗的演技已"内化到无形的境界","桂美平凡得像我们身边熟识的人,是一个

"我这样过了一生"中一场水灾的戏。

活生生时代的见证，凸显出那个时代一群沉默但值得尊敬的人所具备的特质。"

拍摄期间，"增胖"的新闻被媒体炒得火辣辣。

由于戏中的桂美经历未婚、已婚、怀孕、生子、中年、老年等几个人生阶段，求"真"心切的张毅，要求杨惠姗增胖20公斤。

对于风华正茂的杨惠姗来说，这的确是一大冒险，万一瘦不回来怎么办？伤了身体怎么办？哪有人肯为一部片子拿自己开这么大玩笑？

提出这个疯点子的张毅自有一番道理。

由于出身社会写实片，杨惠姗得到一个"天使的脸孔、魔鬼的身材"的封号，乍听固然有褒，细想更不乏贬意。自承颇有"煽动力"的张毅，决定投出一颗变化球，他对杨惠姗说，只有打破"天使"、"魔鬼"的形象迷思，才能彻底用演技来证明自己。

她挥棒打击，使出全身力气，打了一支漂亮的全垒打。

《我这样过了一生》入围金马奖十项大奖。

最近一次采访中，谈起这件事，张毅"告解"其实那是很残忍的，当时他指定一个女孩子专门盯着惠姗，"只要她醒着的时候，每半小时就给她吃一顿。"才刚刚看"桂美"吞下一大块蛋糕，立刻端上来一碗奶油拌饭；

牛排吃完了,再塞块巧克力。吞不下也得吞,吐多少再吃进去多少。简直非人待遇,连平常最没脾气、最好说话的杨妈妈都看不过去,把冰箱锁起来。张毅竟然又叫人从外面买了一大堆吃的东西……。三个月中间,杨惠姗足足增胖 22 公斤。

比起增肥更恐怖的是,23 天之后,杨惠姗就要在金马奖颁奖典礼上亮相。为了还给大家面貌姣好、婀娜多姿 的杨惠姗,这个意志如刚的女子,开始魔鬼减重计划,每天只喝两种流质——白开水和蔬菜汤。

果然,1985 年,高雄爱河畔举行金马盛宴,杨惠姗

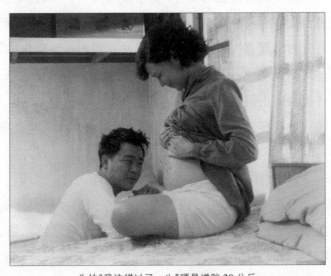

为拍"我这样过了一生"硬是增胖 20 公斤。

今生相随——杨惠姗、张毅与琉璃工房

以一袭黑色连身长礼服出现,高挑玲珑,云鬓松挽,美丽大方,众人莫不惊讶她的"收放自如"。当晚,她以《我这样过了一生》再夺后座,成为金马奖有史以来第一位连续两年得到最佳女主角的影星。据说,评委14票全数通过,也打破了金马奖过去的纪录。

在此之前,只有归亚蕾、徐枫曾经得到两次金马奖最佳女主角奖。

《我这样过了一生》则一举抢下最佳影片、最佳导演、最佳女主角、最佳改编剧本等四项大奖。

完美主义张导演

从增胖到减肥,曾被人嗤之为"噱头",只为了吸引公众注意、炒作新闻。可是跟过张毅的剧组都知道,这位导演最大的特色就是"玩真的",张大洲记得很清楚,他们为了拍《玉卿嫂》中庆生和容哥在雾里放风筝的一场戏,大队人马拉上七星山好几次,痴痴等待那种雾气满山笼罩、白雾追人的感觉。

有些"老鸟"背后开骂:傻瓜!别的导演都是放两桶干冰、烧几把干草就解决了,拍电影嘛!干什么那么想不开呢?

但那不是"张毅风格"。

在电影圈，张毅是出了名的"龟毛"，无药可救的完美主义者。《玉卿嫂》中有一个镜头：早上起来，丫环上楼把窗帘拉开。不满意、重来；又不行、重来……就这么简单的一场戏，拍了九次（九盒底片）。也许，在别人眼里看来，每一次还不都差不多，特别是出钱的老板，气得连"三字经"都骂出来了。

负责道具的张大洲说，不开玩笑，为了拍一场"玉卿嫂"过年杀鱼的戏，原来只准备了两条鱼，但张导演感觉杀得气氛不够好，一杀再杀。到底杀了几条鱼，现在已经忘了，只记得不停跑菜市场，台中雾峰那一带的活鱼都被搜购一空。

这种要求完美的态度，深深触动了杨惠姗，她一再表示，张毅是带给她最多"电影精神"的导演，开发了她的潜能。"认识张毅前，几乎没有什么思想，脑袋里不知道想些什么，"经过张毅的循循善诱，她在表演艺术上的爆发力直线窜出，达到巅峰。

他们第三度合作，是拍摄《我的爱》，讲述一个平凡的家庭主妇，在先生背叛感情之后，陷入歇斯底里，那种几近自毁的表演方式，给观众带来很大震撼。

三度合作，萌生情缘

这样的遭遇、这样的发现、这样的相执相握，两颗南参北商般的星子，迢迢飞渡银河，碰撞出生命火花。

3年3部戏，长时间密切接触，包括《玉卿嫂》在台中拍了一个月；《我这样过了一生》到日本出外景一个月，张毅愈来愈敬重杨惠姗的敬业、毅力、执著；杨惠姗则愈来愈欣赏张毅的出众才华。他们同时涉入角色最深层的情感，加上表演观念一致，形成合作上天衣无缝的佳境。然而，谁也没有刻意；谁也没有警觉，一段前途未卜的情感随着时间逐渐酝酿发生。

张毅原有妻子，他们能不能抗拒结为伴侣的命运？

正在挣扎、徘徊边缘，一篇题为《写给前夫的一封信》的文章，连续两天，骤然以全版篇幅刊登于报端，使得原属私密空间的感情，变成社会公议的话题。在媒体紧锣密鼓追踪下，张毅成了千夫所指的负心汉；杨惠姗则被怪罪为"破坏家庭的第三者"。

古贤早已说过，文字可以载舟，也可以覆舟。这篇文章如刀之双刃，作者诉怨、泄愤之余，也研伤了一个男人的尊严，斩断了一个家庭破镜重圆的后路。

接下来整整一年，张毅、杨惠姗没有一句抗辩，为此付出沉痛代价。"说什么,一开口就错。"没有选择,惟有默然。

张毅绝少谈起那段经过,必须极端敏锐,才能依稀捕捉他当年的心境。一次,谈到许鞍华导演的《半生缘》,他说,想拍出动人的电影,势必投入深刻的感情,从事电影工作本身就是"灵魂的冒险"。

记者总有跑疲的时候,社会议论也渐渐冷淡,当事人心境早已刀山剑海、伤痕累累。

"不如归去、不如归去!"他们勇敢选择离开,让出功成名就的位置,寻觅另一个天地。从零开始,是想看看能不能将"最大的负数"扭转为"最大的正数"。

这些年,张毅始终肩负道义责任,尽量照顾妻子与女儿;杨惠姗在没有合法婚姻名分的尴尬中,守了张毅十几年,只因为"不想为难他"。

留下无限惋惜

虽然张毅、杨惠姗急流勇退,年轻一辈观众无缘再看到那些电影,他们走过的足迹却是又深又长的。

闻天祥于《影迷藏宝图》一书中评论说:"我从来没有为一个演员的表演如此感动过,原来电影演员也能有那么丰富的表演层次……杨惠姗是第一个用演技让我崇拜的演员……偶像明星或许可能江山代有才人出，完美的演员却是可遇不可求，杨惠姗从 1984 到 1986 年的演出成绩，可能是大部分演员一辈子都达不到的领域……"

"事实上，张毅最好的几部作品都和杨惠姗的表演脱离不了关系。奈何衍生的感情绯闻却造成两人电影生命的提前结束，我一向痛恨用别人的私生活来非议他的艺术成就……张毅、杨惠姗电影生命的嘎然中止，未尝不是这种心态下的牺牲品。"

张毅永远是杨惠姗的导演，杨惠姗永远是张毅的最佳女主角，他们正通力合作一出名叫"人生"的巨片。

第三章

今生相随

——杨惠姗、张毅与琉璃工房

繁华落尽见真纯

尝试说一个现代、
今天、年轻的小两口的爱。
让一对甜美可爱的小杯，
像珠宝一样精致地表达一句话：
当我们在一起，祝福我们是永远
的。

——小两口

人生的佳境，是与最喜欢的人在一起，做最喜欢的事情。从这个视角出发，所有旁观者认为张毅、杨惠姗做的那些不可思议的事情；创造的那些不可想象的奇迹，都是十分自然又顺理成章的了。

现代爱情启示录

1986 年 同 时退出影坛，4 年后携手在公众前露面，舆论惊讶他们坦荡荡地相爱，以及高浓度的感情内涵。随着琉璃工房知名度渐广，张毅、杨惠姗相厮守、共患难的情谊深重，更渲染出一则美丽缤纷的"现代爱情启示录"。

两人相厮守，共患难，如同一则"现代爱情启示录"。

张毅作为导演，注视杨惠姗的眼光是犀利的、挑剔的；作为伴侣，他的眼光无比温和、充满柔情。

彼时，在电影圈的大染缸里，杨惠姗沾上抽烟习惯。本来也没想过抽烟有什么不好，直到遇见"张导演"。一天，她化好妆，站在一旁点燃烟，深深吸了一口，张毅大步逼过来，严厉地诘问："你要是观众，看见玉卿嫂叼支烟，什么感觉？"杨惠姗圆睁双眼，注视着导演，不发一语。片刻后，把烟掐熄了。

从此，再没有抽过一支烟。

先天颇有知人之明，张毅直觉地认定杨惠姗是块待琢璞玉。"我一直对她很有信心的原因是，第一次和她合作玉卿嫂，发现这个'家伙'很奇怪，她的工作方式听起来匪夷所思，搏命演出，近乎神经病。有一点悲剧性的倾向，生死相许的投入。"

张毅永远忘不了，《玉卿嫂》里有一场戏：小情人庆生移情别恋，玉卿嫂为情所伤，独自坐在梳妆台前拔白头发，一根、一根，丢到火炉里去烧，表现出一个长期压抑的寡妇歇斯底里、同归于尽的悲绝。导演要求的画面是，玉卿嫂下意识伸手去摸火，想借着巨痛的刺激，唤醒槁木死灰的心情。在张毅求"真"的原则下，火盆里是货真价实的炭火，不是好莱坞用的特效"冷火"。一声"开麦拉"，杨惠姗缓缓把手掌伸进炭炉，一点点、一点点；向下、再向下，接近炭火的程度已经令在场所有的人都"暂时停止呼吸",导演赶快大喊"卡"。女主角站起来,若无其事地出镜。几个不信邪的小伙子决定去"以身试火",结果都烫得哇哇大叫,连吹带甩。

"像她这样的特质,给她提供一个舞台,可以做到常人做不到的事。"张毅坚决相信。

千里马遇见伯乐

带几分傻气,杨惠姗诚恳地说,她从小是个安分守己的孩子,不敢有非分之想,个性上最大的转变是碰到张毅以后。"你看,她老了才开始比较懂自己!"以前她觉得理所当然的事情,经过张毅的观察、分析,才发现那是她很大的优点、特点,不是每个人都会这样的:"那种令我豁然开朗的点拨,好像千里马终于幸见伯乐了!"

她也从来不讳言,自己能够在电影及琉璃事业上有所成就,都归功于张毅。"虽然他只比我大一岁,但他对我什么都要管,我也觉得需要他管。从演'玉卿嫂'开始,我觉得他说的话都是为我好,按照他的话去做,就能把事情做好。琉璃工房的伙伴,都说我是张毅的'跟屁虫'。"

其实,张毅的才华比杨惠姗只有过之而无不及,但他默默地把凡夫俗子开门七件事，都一肩承担，让爱侣专心创作。很多艺术家奋斗了一辈子，不就是为了一个"名"字，他却甘愿退居幕后，把杨惠姗推进光环的中央。

"无所谓谁在前面、谁在后面；也没什么伟大不伟大，换了位置，她做得到的，我做不到；我做得到的，她做不到。而且她比较歹命，做很辛苦呀，我只要动嘴说就好了。"张毅四两拨千斤，巧妙回答；杨惠姗在旁补上一句："我从来也不觉得吃亏呀！"彼此相视一笑。

电影《泰坦尼克号》全球热演之际，琉璃工房有些浪漫的年轻女孩子说，真羡慕女主角萝丝，能得到男主角杰克至死不渝的爱；其他伙伴也有共鸣，都说张大哥对杨姐，就好比泰坦尼的爱情故事"真实版"，令人非常憧憬。

张毅的妈妈常取笑他们，这么大的两个人，"好像天天都在谈恋爱"。惠姗去医院检查，前面走一步，张毅后面跟一步；张毅喜欢哪件衣服，惠姗就老穿那件衣服。张毅说什么东西好，惠姗照样说好；张毅说不好，惠姗也说不好。"夫妻这么一条心，做什么都一定会成功。"老太太话语中充满欣慰。

有一次，他们在上海巧遇也曾是影后的徐枫，徐枫做东请吃上海菜。杨惠姗非常喜欢点心"蟹壳黄"，吃完

今生相随——杨惠姗、张毅与琉璃工房

一只，轻轻问张毅，可不可以再吃一只？张毅带笑斥责她，"不可以再吃了，待会儿我得陪你走路半小时回家。"曲终席散，张毅拍拍惠姗的手，体贴地问："要不要加件衣裳？"

对两人爱护有加的唐斯复大姐悄悄透露，有一次惠姗告诉她说，"张毅每天晚上训我，他边训，我就边睡着了，好好睡喔！"

"有时候，他真的很像我爸爸！"漾着快要满溢出来的甜蜜，杨惠姗调皮地说。

据唐大姐所知，无论是在台湾还是在国外，不管是影迷或是艺迷，经常会有人请杨惠姗签名。一本笔记簿也好，一张名片也罢，杨惠姗总是端端正正地签，一字一字地题词；因为张毅不允许她耍大明星派头，以草率对待真诚。杨惠姗写字遒劲有力、笔画分明。她说，在日本展出时，张毅半夜把她叫起来练字，桌上备齐了纸、墨、笔，她很懂得看张毅的脸色行事，刚开始写，张毅的脸皱的像橘子；练着练着，脸色好转，当张毅露出笑容，杨惠姗知道自己事情做好了。

还有，不管在国内国外，无论搭飞机、住旅馆、进餐厅、坐车，举凡画机位、托运行李、填写表格、住宿登记、点菜、付账、认路……都只见张毅一马当先、义不容辞的模样，四处打点、妥妥当当。杨惠姗则是毫无保留，把身心全部交出来，如影随形跟着张毅，表现出百分之百的信任。

这种互动模式怎么形成的？

"我觉得很自然，因为她做得很烂嘛！"张毅边解释，边温柔地瞟瞟惠姗，眼神中写着宠爱、珍惜；杨惠姗非但不以为忤，反而十分enjoy，"对呀，反正我就是跟定他了嘛！"

"你好幸福喔！"听者莫不艳羡。

"是呀，我真的很幸福！"杨惠姗满面春风。

"你就这么心甘情愿被跟？"追着问张毅。

"我还有其他选择吗？"张毅呵呵笑开，一脸无辜。

心苦情愿的小女人

听多了现代社会男女"怨憎会、爱别离、求不得"的感情故事，很多人不免怀疑，如此纷乱流动，上下求索，世间情字，究为何物？

如同任何一对伴侣，由轰轰烈烈的爱情过渡到在一个屋檐下生活，总有或长或短的"磨合"期。刚开始他们也会因为日常琐事的磕磕碰碰，争论、呕气，甚至冷战不说话。随着年龄增长，对生活的体悟愈深，冷战期也慢慢缩短，从一星期到三天、一天、三小时，"现在我们正朝一小时努力。"

经历过笑与泪、悲与歌，杨惠姗有着明明白白的感情态度。

她认为，让爱情历久弥新是一门艺术，"在爱情里要放下身段，恋爱的时候要取悦对方；老夫老妻更要取悦对方。发觉对方的优点，不要吝惜赞美，在日常生活中，点点滴滴，累积天天恋爱的情绪，而不是只在生日的时候送送礼，送完了又吵架。"

时下很多女人都希望另一半对自己"甜言蜜语"，杨惠姗却常"厚着脸皮"主动对张毅"拍马屁"。事实上，她真的佩服张毅什么都懂，像个活字典，有问必答，每次排难解惑之后，都不忘谄媚一番："你好棒喔！我好崇

并肩而立的一对俪人。

拜你喔!"其他像"你好帅,你好棒!"之类的话,也经常发自肺腑、溢于言表。

这位有国际大师级架式的艺术家,一旦回到张毅面前,就"变身"为会发嗲、会撒娇的十足小女人。几位派驻上海的台籍主管,有一次看到杨姐边看电视,边抱着张大哥打情骂俏,都觉得很新鲜。

不可多得的好男人

"你最欣赏张毅哪一点?"

"他的细致、体贴、处处把我放在心里;还有他真的很帅呀!我都不否认自己是个'好色之徒'。"

"你觉得张毅喜欢你哪一点呢?"

"他觉得我好笨,但还算努力!"好个快人快语的女子。

在杨惠姗眼里,张毅是个不可多得的"优质男人"。"无论衣食住行,都是张毅在照顾我,从没要我帮他倒过一杯水。尤其是我工作的时候,他既要埋头准备我需要的资料,还不时送一点咖啡、蛋糕、水果来。他愿意自己百分之百退到后面,让我出人头地。一旦决定这么做之后,就再也没有站前面来,虽然所有说明文字、所有宣传、企划都亲力亲为,但从没大笔一挥,签上名,要人家注意到他。"

张毅,人如其名,坚强刚毅。虽然表面上看来很"酷",内心其实非常柔软、纤细而敏感。谈到感情,他比杨惠姗沉潜、内敛得多。

在不少场合,他常常赞美惠姗工作时的惊人毅力、对艺术的完美追求、热情无悔的投入……但是如果把杨惠姗"还原"、"归零"为一个女人,张毅到底为什么爱她?

三番两次"试探"、"套话",都碰触不到他内心的感情世界。

"谈谈你对惠姗的感情?'干脆单刀直入地问。

依旧不正面回答,反而大谈特谈张爱玲与胡兰成……

"你是不是觉得和她在一起很舒服,愿意共渡一生?"

像是给逼急了,又像被说中心事,血液一下子冲上来,脸红着,眼角眉梢却快乐飞杨,笑意一圈圈荡漾开。

"有关中国琉璃……"

其实,一个五十岁男人的感情,愈含蓄,反而愈显深刻,更加教人震动。

张毅,让杨惠姗信心满满走上艺术创作之路;张毅,让一个女人在呵护里幸福生活。

坚贞、无私、执著

10几年前，张毅、杨惠姗的爱情可能并未得到太多祝福；然而，因为坚贞、因为执著、因为无私，这份情感如今不但已被家庭、朋友所接受，而且深深为他们庆幸。

以他们的感情为主干，四面八方去延伸。枝枝脉脉，叶叶缕缕，铺展出一片浓荫盖地，身边的人共享清凉。

琉璃工房行销部协理张刚，也是张毅的大弟，去年生日那天，照样到复兴南路办公室上班。一推门，觉察出空气中飘散着些不寻常，正想开口探询，有人双手送上一个漂亮的礼盒，并且欢呼"生日快乐"。打开一看，是一件休闲衫。原来是大嫂远在上海，还记得他"长尾巴"，特别托人张罗的惊喜。

神貌和大哥非常相似的张刚还提到，当年老父中风，行动不便，大嫂每个星期都会来探望；只要老人家一个眼神，大嫂就知道父亲想什么、要什么。孺慕孝养，"甚至连我们亲生子女都自叹不如。"

张爸爸去世后不久，张妈妈住处遭小偷，惠姗不放心老太太独居，主动把婆婆接过来。同吃同住，这些年非但没传出过婆媳纠纷，偶尔张毅和妈妈闹脾气，还是媳妇在中间做和事佬呢!

提到惠姗的孝顺;对老人家的体贴、周到,张妈妈爽朗地称赞:"我运气好,想起来梦里都会笑。"有一次,惠姗听说70多岁的婆婆出门看医生,竟忘了关瓦斯,演出一场虚惊。她几天忧心忡忡,终于想出一个办法:做了几张大大的纸牌子,上面分别写着"关瓦斯"、"关电器"、"锁门"、"带钥匙"……挂在大门门把上,提醒老人家注意。

每天早上出门,这个媳妇都会报告"妈! 我们走了!"晚上一进家门,则是"妈! 我们回来了!"有点病病痛痛,惠姗帮婆婆捶捶捏捏,身上舒坦了,心里更高兴。而且,"无论出国展览,或是在上海工作,媳妇打回来的电话好像总比儿子多。"

这个么女儿从小对自己的家庭就很有责任感,好多年了,杨伯伯、杨妈妈的头发都是惠姗亲自洗、惠姗亲自剪的;去年农历年前,惠姗从上海赶回来,帮爸爸妈妈大扫除,张毅这个女婿表现也不差,爬高下低帮忙整理了好几天,粗重活儿一手包办。

凝聚两个家庭

一加一大于二,两个人的感情凝聚了两个家庭。这些年,两家亲戚间三不五时互相拜访相约下馆子聚餐小酌;两位加起来年龄超过 150 岁的亲家母之间有说不完的话,感情好到穿"姊妹装"出门。1998 年春天,一双儿女在英国办展览,他们也趁机同游欧洲,还特别绕到伦敦去加油打气。

杨惠姗对张毅 18 岁的女儿更是疼爱有加。去年暑假接女儿来一起住,夫妻俩躺在床上,早已亭亭玉立的女儿也跳上床,挤在中间;一家人开车出门,聊起来没个完,"亲生母女也不过如此。"奶奶看在眼里,安慰在心里。

1998 年,他们去伦敦展出,特别带女儿同行,作为女儿通过大学甄试的奖励。分别从台北、上海出发,三

张杨两家一同到伦敦为儿女打气

人约在香港机杨碰面。远远认出，冲上去又搂又抱，吱吱喳喳、笑笑闹闹，可亲热了！在伦敦，女儿说要打电话向妈妈报平安，"杨阿姨"手牵手陪她去；在海德公园，女儿想和一只可爱的小松鼠交朋友，"杨阿姨"从大衣口袋掏出一颗巧克力糖，递给女儿，当作送给小松鼠的"见面礼"。当小松鼠机灵地从她手上拿走那颗糖，大女孩乐极了，回头与"杨阿姨"交换一个"带电"的目光。

爱"才"不爱"财"

禅宗六祖惠能曾有一首流传千古的诗偈云：

菩提本非树，明镜亦非台；
本来无一物，何处惹尘埃。

停靠过大大小小人生驿站，从纠结盘错到柳暗花明，这一双爱侣扑散尘埃，生活也逐渐清晰透彻如一方明镜。

曾经有过唱一首歌值新台币30万元的身价，可惜杨惠姗完全没有钱财观念。以前拍电影的时候，从来不管钱，也从来没看过存折；拍了几部戏，后来变成几幢房子，她自己都搞不清楚。著名制片人黄卓汉就说过："惠姗是爱'才'不爱'财'。"

投资琉璃事业之后，一度掏空积蓄，拮据度日，她倒也甘之如饴。

"很有钱和很没有钱，对我们来讲没什么差别，因为我们的欲望就这么大，在这个基础上，维持水准就好。"张毅说。

吃的方面，以前吃山珍海味、鱼翅干贝；现在人民币2元5角(约台币10元)一客的水煎包，1元5角一碗馄饨汤，也能大快朵颐。至于穿嘛，他们现在自称已经'解放"了，正式的衣服只要几件就好。以前要穿台币6000元一件的名牌衬衫，现在穿着出自上海裁缝师傅之手的制服，连工带料，一套人民币100元，照样舒适惬意。

去年冬天 (1997 年)，上海厂伙伴曾扳着手指头帮

从平凡中体验生活的甘美

杨惠姗算账，算下来，"董事长"的身价如下：一件 30 元人民币的毛衣；一件 28 元的背心；一条 50 元的毛线长裤；还有一双 10 元的布鞋。烫一个头发，人民币 20 元。

从头打量到脚，这位昔日影后身上没有一件珠宝首饰，"惟一"的身外之物是右手腕上一串乌木佛珠；左手腕上一个黑黄色相间的礼品表。一边高兴的"秀"表，一边说："不花钱的，还准得很喔！"

刚来上海的时候，工房"分配"给他们的交通工具是自行车，而且还两个人合骑一辆。直至员工增加到 60 多人，才添置了一部 9 人座"金杯"小客车。中午大家一块儿在食堂用餐，老板盘子里的菜和员工一模一样，并没有私下加菜、开小灶。本地员工欢喜地说，老板骑自行车上下班，又和我们同吃大锅饭，这种企业哪里去找？

这两个"工作狂"最享受的闲暇娱乐活动也很"平凡"——看电影而已。

即使已经十年多没拍电影，他们仍是狂热的观众，一天疲累工作之后，经常一头钻进电影世界，看到筋疲力尽。

"到电影院看还是在家看录影带？"

"当然是电影院！"

午夜场、子夜场是他们的最爱。"看电影就是拉开黑幕进到那个空间，旁边有人的气息，闻到爆米花的味道，一手拿瓶汽水,一手抓根鸡脚、鸡翅的,才过瘾呀!"

自称和他们仅为"君子之交"的资深广告人孙大伟形容,这种返璞归真的感觉,真的和武侠小说里写的一模一样,修练到了某一境界,"折条柳枝都是剑"。孙氏妙喻曰:愈单纯才是愈大挑战,就好比吃最"高档"的"沙西米"(生鱼片),千金难求鱼肉的"鲜美本味",所有调味品和盘子里的装饰物,都是多余。

赤子之心,本来面目

相识一段时间之后,慢慢会发现他们充满幽默、童心未泯的一面。

有一次,人家问他们,为什么琉璃工房员工制服是黑色的,艺廊主色调也是黑的,杨惠姗捉弄对方:"只要心不是黑的就好了!"

另外,有一位年轻记者说,过去在演艺圈的名声,加上现在的琉璃传奇,很多人透过想象的面纱看他们,觉得他们好伟大,"我们都以为他们不食人间烟火了呢!"这话辗转传到杨惠姗耳里,她朗朗一笑,"怎么会,饭总还是要吃的吧!"

接着又认真的加上一句:"还吃肉,还吃肉!"

有点"脱线"的是,一天,国外十几位艺术家到淡水工作室参观,当大家正襟危坐,交换艺术创作心得,一只苍蝇也飞来"旁听",嗡嗡盘旋,恼得客人心浮气躁,又不便发作。谁也没发现杨惠姗悄悄拿起一条橡皮筋,套在手指上,"咻!"的一声,越过长桌,从其中一位艺术家头上低空飞过,正中目标,苍蝇被弹到墙角,当场气绝。刹那间,轰然爆笑,全场客人鼓掌叫好。杨惠姗顽皮地吐吐舌头,"发言人"张毅则机智反应,"掰"说这是早有安排的余兴表演。

私底下的张毅,其实很有喜感,不像外表那么严肃,连杨惠姗都会"警告"朋友说:"别被他的外表骗了!"张毅讲笑话的本事一流,模仿功夫也了得,有时候连讲带表演,唱做俱佳,乱夸张的。当别人已经笑得大叫肚子痛,他还满脸正经,一副"冷面笑匠"的样子。

有所变,有所不变

前后两个十年,不仅是亲人、朋友,连他们也意识到自己的蜕变。

已故文化界前辈张继高曾当面称赞杨惠姗,"这么短时间变化这么大,不简单,不简单!"

姊姊惠如骄傲地说,现在杨惠姗的气质、见识都大大提高了,而且都不晓得惠姗的英文什么时候变得那么好,不久前接受香港一家英语电视台采访,一问一

私底下的张毅其实很有喜感

答,可以从容不迫、晓畅流利。

　　她现在除了雕塑、琉璃专业方面愈来愈有自信,对国外艺术家及作品也如数家珍。加上张毅的刻意引导,她每天固定阅读大量报章、杂志、书籍,还要看公文,"真恨不得在厕所里摆张桌子,在里面用功。"

　　杨惠姗毫不隐瞒,以前在电影界的时候,只专注于掌握角色的状况,对其他事物的反应能力、归纳能力都非常欠缺;又从来没有阅读、思考的习惯,生活经验与见识都比较肤浅。自从投入琉璃事业,经由种种学习、接触;出国旅行;和艺术家交谈;参观美术馆、博物馆;逛书店……生活圈逐步扩展开来,甚至在经营管理上也稍有心得:"不像以前,跟傻瓜听天书一样!"她不怕人取笑。

　　"简单地说,以前不知道自己不知道什么;现在至少已经知道自己不知道什么!"这句话颇有哲学意味!

张毅的改变比较"隐约",但身边的人仍有所觉。

张妈妈说,儿子以前脾气很硬,现在待人处世已经从容宽厚许多,琉璃工房有些年轻伙伴工作不理想,他都可以掌握轻重,慢慢开导。

人生接近半百,他对自己的性情也体悟日深:以前常会"不平则鸣"或"不吐不快";现在至少"可以不说话"。

或许,张毅知道,年轻时可以只为自己活,现在则要为所有爱他的、他所爱的人而活。

心转境转,经由琉璃事业的映照、洗礼,张毅、杨惠姗找到生命的原乡,繁华落尽见真纯。

爱狗一族

去过琉璃工房淡水工作室的朋友,可能都会惊呼;哇!好多好多狗!

不错,以这里为家的狗狗,最高纪录曾达40多只。

在《狗——旺旺大吉》的作品说明中这样写着:"感情上,狗是琉璃工房的吉祥动物,从工房成立的第一天,一直有一大群狗跟着我们一起生活、成长,尤其是杨惠姗,狗是她永远的快乐。……杨惠姗亲手雕塑,推出琉璃工房第一只狗,强壮、忠实、永远的友善和快乐,传达那股随时跃起的动力和喜悦给你。"

说起琉璃工房的狗缘，杨惠姗这个"爱狗一族"是始作俑者；而张毅因为爱杨惠姗，自然爱其所爱。

想起来还觉得好好玩，上海厂协理王秀绢说，十几年前，她第一次到杨惠姗家，刚坐下来，主人很抱歉的提醒，对不起，你坐在我家狗狗的位子上了……。

本来对狗没好感的王秀绢，一到淡水就被训练喂狗、带狗散步、给狗洗澡，渐渐生出爱狗之情。尤其是一只名叫"丑八怪"的狗，其貌不扬，却忠心耿耿；即使在淡水那种又湿又冷的冬夜，也每晚尽忠职守、前后巡逻，"狗格"高尚。在琉璃工房，元老级"丑八怪"的地位颇高，连新进伙伴都得对它礼让三分。

狗灾狗难

从人的眼里看来，张毅是堂堂总经理；从狗的眼里看来，张毅代表饿了有饭吃，病了有兽医来治病。甚至为了排解狗族纠纷，还发生过一次恐怖的意外。

"肇事双方"为前面提到的"丑八怪"和一只大型虎斑秋田犬。

虎斑秋田原本是流浪狗，被琉璃工房收养之后，谁的话都不听，只买张毅一个人的账。有一天，两只狗不知为什么打起来了，战况十分惨烈，张毅怕它们两败俱伤，跑出来"劝架"，情急之中打了虎斑秋田一下，说时迟那时快，虎斑秋田野性大发，反身就咬住张毅的右手腕，还冲上来撕扯他的肩膀，鲜血霎时染红了白衬衫，情况非常危险。直到今天，张毅那只手臂上狗噬疤痕仍隐隐可见。

另一次"狗灾"发生在遛狗途中。某天黄昏，一人一狗轻轻松松去散步，狗儿颈上的链子不知为什么松了，乐得撒腿前奔。张毅既怕它吓着路人；又怕它给车撞了，也跟着大步急追。就差一公尺追上，狗狗却来了个紧急煞车。追的人一时收不住脚，怕踩到狗身上，只好再勉强向前

杨惠姗与她的"小宝贝"

再跨一大步，重心不稳，"哎哟！"一阵巨痛传来，送医急

诊，大腿骨折。之后好几个月，拐杖不离手。

珍惜有情生命

即使如此，琉璃工房里的"狗口"还是有增无减，而且大多是流浪狗。杨惠姗每次在路边看到流浪狗，车子一停，无论大小，不怕狗脏、也不怕狗凶，抱起来就带回家。喂食、洗澡、带去结扎，俨然狗保姆。

有一次她在《民生报》上看到演员谭艾珍为了筹募"流浪狗基金"，正在义卖西藏獒犬的新闻，从演员工会那里打听到谭艾珍家里的电话，由张毅陪着，亲自开车到石碇，领养了一只叫"大傻子"的流浪狗。

早年，不知张大洲从哪里捡来一只小流浪狗，取名"小宝贝"，被充满母性的杨惠姗领养，"视如己出"，天天把它放在布书包里，带进带出，须臾不离，每四个钟头用小奶瓶喂一次奶，连尿尿都是在马桶上"把"的。后来"小宝贝"遭人毒死，这位狗妈妈痛彻心肺，听说有一次开车回家，突然想起爱狗，临时路边停车，趴在方向盘上号啕大哭，哭完了才能上路。

琉璃工房，一个充满爱与关怀的地方，不仅对人，包括对狗。很多伙伴都记得，张大哥曾经说过，从事艺术工作要对动物有情，不珍惜有情生命，就创作不出动人的作品。

因为相信

所有的光耀灿烂，从困惑里绽放、
所有的丰硕收获，从贫乏里成长；
心中的诚意，是一切的生机；
相信，所有的不可能都可能。

第四章

今生相随
——
杨惠姗、张毅与琉璃工房

七个傻瓜开步走

颜色讲一个故事,光线讲一个故事;
真正的故事,却深深地在您心里。
琉璃工房,用颜色和光线,创造一个
心的舞台,请您上台。

——有心砖

冬日，一束阳光挣脱云团，酥酥暖暖抚慰着四肢，微尘在空气中恣意舞蹈。

阳光透过大片落地窗，亮灿灿；背光而坐的两个人，像安静的剪影，各自镶了一圈金边。

他们是琉璃工房的创办人张毅、杨惠姗，也是一对事业、情感伴侣。

第一次见面，第一个问题；替读者问，其实更替自己问："一男一女谈恋爱，怎么谈了个中国琉璃的故事出来？"下面要讲的就是这个故事。

回首十年，美的惊艳

很久很久以前(大概十几年前吧!)：

有一位漂亮又著名的女演员杨惠姗；还有一位才华横溢、风格独具的青年导演张毅，正在拍摄他们合作的第三部电影——《我的爱》。

由于戏里面的男主角从事艺术品生意，为了烘托他的居家气氛，道具人员向中山北路某精品店借来许多玻璃艺术品。

以前，他们和一般人一样，以为玻璃都是些酒杯、花瓶、器皿之类的，但这些精美的水晶玻璃艺术品，出自国际名家之手，给人很不一样的感受。"它给我最大的吸引力是，这个材质竟然可以这样表现，假如同是一件雕塑，用木头、铜、大理石或石膏，因为不透光，只能看到外表；但是玻璃雕塑有穿透性，我好像可以看到它们内心的感觉。尤其是里面会有气泡，像是有呼吸、有生命似的。你画一条鱼，有水呀、有草

摄于淡水工作室，讨论创作构想。

呀，但如果不加几个气泡，鱼就不像是活的。还有它跟光、跟空间的关系，色彩的变化，都给我很大的震撼。"第一次接触，杨惠姗感到惊艳！绝美！

戏终人散，物归原主。

但总还魂萦梦牵。

不久后，这一对"爱人同志"决定离开电影圈，然而，抖落一身星光，哪里去找另一股能源，把前程照亮？徘徊过、踌躇过，两人心意倒是始终相通，隐隐约约定下这么一个方向：都希望找一件事，安静下来，专心去做，不断累积自己的经验；所创造的东西，必须具有永恒而且绝对的价值。

而这个价值必须能够承载、体现对中国的情感。

张毅现在回想起来："最后选择了琉璃，其实有点阴错阳差。"

彼时，《我的爱》男主角王侠军，是张毅同窗好友，在导演完电影《大海计划》(因为卖座凄惨，被戏称为"杠龟"计划)后，赴美进修工业设计，期间接触到玻璃吹制。数月后回国，在一次老友聚会中聊起来，王侠军说到，在许多国家都可以看到精美的玻璃艺术品，惟独台湾没有，建议不妨试试。

一番话勾起对玻璃艺术品"美的回忆"，而且似乎也契合他们的目标。

于是，他们在台北市连云街租下一幢公寓的三楼，布置起了办公室，成立"中国现代水晶公司"(从这个公司名称已经可看出张毅心里的"中国"概念正逐步发展)。当时整个台湾，几乎没有人知道什么是"艺术玻璃"；连他们自己也没料到会一脚踩得那么深。

荒野七匹狼、七个小矮人、幸运七号 (lucky seven)巧合的是，刚开始他们的组合也是七个人，七个门外汉、七个傻瓜——导演张毅、演员杨惠姗、美术设计王侠军、道具张大洲；影迷陶惠萍、陈绣云；陶惠萍的同学王秀绢。

这七个伙伴的精神领袖是张毅，当时大家都还改不掉电影圈的习惯，喊他"导演"，过了好久才改口叫

七位创业元老

"张大哥",背后则喊他"老大"。

　　至于杨惠姗,把金马奖、亚太影展的奖座锁进橱子里;把影后的辉煌藏进记忆里,还原成张毅口里的"惠姗",其他伙伴都喊她"杨姐"。那时,甚至连"琉璃工房"这个名字都还没有。

亲自披甲上阵

　　根据王侠军的建议,原本并不是要自己动手做,而是做好设计,交给新竹一些玻璃厂加工烧制完成。因此大概有半年时间,张毅、王侠军每天都到新竹和这些工厂接触,沟通合作方式,但日子一天天过去,他们愈来愈发现这条路可能走不通。因为对方长期都是接"代加工"(OEM)的订单，每一家玻璃厂烧下来，所做的东西都差不多，没办法配合特殊的设计。而且无论观念、设备、员工素质，都难以表现他们所希望的准确与精致。

求人不如求己，看来只好自己"下海"了。

不早不晚，刚好有座位于莺歌的工厂，因为经营不下去想转让，这座厂本来是生产高脚玻璃杯的，里面原有一座高温融解窑炉，还有一座降温(徐冷)隧道窑，好像蛮符合他们的需要，于是就去顶了下来。

一手交厂，一手收钱，对方甩掉烫手山芋，赶快"莎哟哪拉"，撂下一句话："好啦，从今天开始就是你们的啦！"转身就走。几个天真的家伙那时连窑炉的开关在哪里都不知道，三步两步赶快把人追回来，稀里糊涂，听懂一半、猜到一半，捏着鼻子披甲上阵。所谓事非经过不知难，最初开始做吹制，光是熟悉高温融解窑炉上面花花绿绿的各种控制仪表，就花了好大力气；接着研究脱蜡铸造，降温隧道窑又派不上用场(因为高脚玻璃杯杯壁很薄，所需降温时间较短，而实心的铸造作品需要很长时间降温)。

凭吊莺歌"古战场"

在一个骄阳似火的 7 月天，抱着"凭吊古战场"之心，11 年后造访莺歌。

从天母艺廊出发，司机兼"导游"的陶惠萍一直说，这条路变化真大，几乎都找不到了。一个多小时后，到达目的地，虽然早有心理准备：莺歌厂是琉璃工房的诞生地，简陋想当然耳，然而一旦亲眼看到，心头还是大为震动。因为那根本算不得"厂房"，只是一个坐落于老式三合院旁边的石绵瓦工寮。前前后后加起来不超过 30 坪，临马路的一面杵着根电线杆，另外三面杂草丛生，鸡

今生相随——杨惠姗、张毅与琉璃工房

莺歌时代的琉璃工房，工作地点就在一座老式三合院旁的石棉瓦工寮。

屎味、臭水沟浊味，混搅在一处，让人只能憋住气，又快又浅的呼吸。

好不容易找到当年的房东来开锁，门楣上蜘蛛网密布，一股霉味扑鼻而来，地上被房东堆满厂弃杂物，一行人不断互相提醒："小心呀！小心！"

筚路蓝缕？总算知道这个成语的意思了。

陶惠萍记得，以前夏天这里蚊子凶猛，她和张大洲一天要在水沟里洒好多次盐。经年风吹日晒，石绵瓦锈蚀出一个个大洞儿、小眼儿，白天撒下天光，夜晚尚可观星。一碰到下雨天就手忙脚乱了，为了避免雨水滴在摄氏 1000 度以上的窑炉上，一有下雨征兆，立刻手忙脚乱替窑炉撑上雨伞。同时拿出大大小小、各式各样的

张毅当年在莺歌厂所写的春联至今仍依稀可见。

钢碗、铝盆摆了满地，一时间，这里叮叮、那边当当，仿佛即兴演奏一段打击乐曲。又热又臭，"游客们"转身正待离开，忽然陶惠萍喊了一声，"看！"顺着手指方向，墙上有"如意"二字映入眼帘，虽然红纸已经泛白，字迹尚很清晰。墨色均匀，一笔到底，可以看出当时义无反顾的心情。"那是张大哥写的春联，我们在莺歌共过两个年。"她神情充满惊喜。

"宾士"权充交通车

在莺歌前后快 3 年，他们每天清晨 6 点从台北出发，杨惠姗的"宾士"轿车权充交通车，先到天母接王侠军，再驶过颠簸的省道、几乎算不上"路"的田埂，约两小时候后抵达厂房。

说起这辆"宾士"，在琉璃工房发展史上，具有"图腾"化的意义。

张毅记得很清楚，第一次见到这辆秋香色的"宾士"车，曾惊喜它的光鲜富丽，那时他刚刚开始和杨惠姗合作拍第一部戏，也是杨惠姗日进斗金的年头。

然而，到了莺歌创业时代，一方面因为财务拮据、缺乏投资观念；一方面因为车主人的全身心投入、情感至上，"宾士"车常常放下身段，不但变成交通车，还变成一辆立下汗马功劳的货车，行李箱里常常载运着原料、石膏；真皮椅套则被粗糙的铁丝（固定石膏模之用）刮得坑坑疤疤。

如今算起来，这辆"宾士"车已经17岁了，今年将被迫"退休"（因为引擎使用高铅汽油），然而杨惠姗对于伴随自己走过一段长长人生岁月的"老马"，却有难割难舍的眷恋。琉璃工房伙伴万隆建议，应该把这辆"宾士"整理整理，放在琉璃工房供人参观，既留下琉璃工房一页历史，更让年轻伙伴体会当年创业维艰、团队情感的可贵。

已有多时未去过莺歌的杨惠姗，在记忆库中搜寻片刻，鲜活道出了几个有趣的故事。

当时因为人手少，必须身兼多职，鼎鼎大名的影后杨惠姗，早上的任务是带着陶惠萍去莺歌镇上买菜（老街菜场10年来倒没什么改变），回来烧饭给大伙吃。她拿出当时的老照片，真的可以看到有一素衣女子，背对镜头，正在锅灶前忙活，身手十分利落。左边是一个水泥砌的水槽，再过去有一尊土地公的神龛。照片让她跌进多年前的回忆，杨惠姗指着局促一隅的简陋角落，兴奋地说，"那是我的庙口！"根据尝过杨惠姗厨艺的人说，她料理得一手地道泰国菜！（那时天气热，体力消耗又大，酸酸辣辣的口味比较吃得下。）陶惠萍在她调教

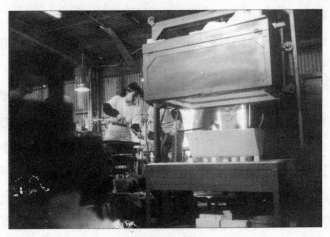

莺歌时代工作写真。

下,办一桌也不成问题。

　　下午,她脱卸围裙,和男人一样拿起粗重的钢管学吹制,还要搬原料、筛料、一铲铲进料、顾窑。小小厂房每天尘土飞扬,必须全副武装,像传统阿拉伯女人,只露出两个眼睛……。

　　过去人们常用"洗净铅华"来形容退出演艺圈的明星,这时候杨惠姗脸上的铅华是洗净了,身上那些石膏斑点、泥灰土屑可是愈积愈厚,一条牛仔裤沾上块块驳驳,像幅抽象画似的。堂堂影后,这副尊容,下了班,照样进出天母的餐馆吃饭,心里坦坦荡荡。当他们拖着一身疲惫回台北,通常已是晚上九十点了,还要接着开会到半夜。第二天黎明即起。不分酷暑寒冬,日复一日,这就是莺歌时代生活"写真"。

沉睡的艺术细胞刹那苏醒

最初因为王侠军在美国学过几个月吹制，加上受限于莺歌厂配备，只能以吹制为主，但心思缜密的张毅开始意识到吹制终究有其局限，一方面碍于人力、体力，产量无法扩大，一个人一天吹三四件已经到顶了；另一方面，吹制技法在许多国家已经有数百年历史，例如意大利慕拉诺岛（Murano）的吹制技法举世闻名，琉璃工房就算再努力，也很难望其项背，遑论闯出自己的一片天空。最重要的是，在张毅心中，已勾勒出"中国琉璃"的未来前景，而吹制技法无法完全传达他想表述的理念。

起心动念之后，他埋头进入一大摞书里寻寻觅觅，偶然读到，有一种叫做"玻璃粉脱蜡铸造"(Pate‐de‐verre) 的技法，可以精确复制、量产；并做出极精美、极细微的玻璃制品。

姑且试试吧！他决定兵分两路，除了吹制，同时也投入新技法的研究。

照书操练，这种技法第一步必须先雕塑出一个原型。7人之中，美工出身的张大洲稍微懂得雕塑，吹制之余,常拿起土块揉揉捏捏。一边做,发现背后老有一双眼睛盯着他,后来干脆搬把小凳子坐在他旁边看,那人就是杨惠姗。杨惠姗当然清楚自己完全没有一点美术背景,但光是看见那些黑乎乎的土,在人的双手中变幻、舒展、舞蹈,就很入迷。傻劲犯了,"每天不管他做多久,我就可以在旁边看多久。"杨惠姗有份与生俱来的执着。

杨惠姗看雕塑看得津津有味,张毅则看杨惠姗看得津津有味。

有一天张毅拿来一张画着佛头的图纸,问杨惠姗要不要做做看。

"等这一天等好久了,怎么不早说!"

一刹那,沉睡 30 多年的艺术细胞苏醒了,创作之泉源汩汩涌动,生命之舟也终于停泊在身心安顿的港湾。

表面看似偶然,其实都在计划之中。

在《琉璃工房》这部电影里,杨惠姗正是张毅导演最重要的 CAST(演员),因为,他亲眼看到她从"玉卿嫂"的180 度转变;到"我这样过了一生"的增肥减重;张毅知道,凭着杨惠姗的"钢铁意志",把琉璃工房雕塑、设计的工作交给她,必定也会有成功的演出。

日夜温存，土也生情

杨惠姗对第一件佛头作品（现在被命名为"第二大愿"），流露出极深的感情。

"在莺歌我根本没有工作台，用一张木板凳凑合，每天下午就蹲在后门的一条臭水沟旁边练习，太阳照过来一寸，我挪一寸。因为是新手，只知道'加'，不懂得'减'，左脸胖了就补右边，右脸大了再补左边，一直往上堆土，本来只想做一个拳头大的佛头，完成时大到必须双手环抱。

她还记得，虽然每天工作的时候很快乐，收工时却

杨惠姗的第一件作品《第二大愿》石膏原型。

很苦恼，为什么？因为油土全部沾在手掌上、卡进指甲里，肥皂洗不掉，刷子刷不掉。实在迫不得已，只好拿双手在后院沙地上用力搓磨，把油土搓掉。

别说是影后，哪个女人甘愿这样作践玉手，但她当时想都没想到这一层。

无师无友，开始自学雕塑，就像双眼蒙着黑布，进入一间黑屋子，碰到头、磕到腿，绊几跤，本是稀松平常。

例如，她一开始接触木粉土，是因为看到人家用木粉土可以作出衣袂柔软、发丝飘然的感觉，不免心向往之。然而自己一开始做，却完全无法掌握"土性"，不是太干就是太湿，一下这边裂了，赶快补这边；一下那边已经雕好的部分又出现缝隙，再喷水补一补；刚修好前面，后面又裂了，弄得手忙脚乱、疲于奔命。

后来她才知道，木粉土一旦裂了，就会一直从里面裂出来，而补只能补表面，救不了整体。"记得有一次我想临摹一尊汉朝女俑，好不容易东修西补，以为终于完成了，赶快拿去翻模子，没想到一搬起来，轻轻撞到台灯，'砰!'的一下，马上四分五裂。那是我熬了一个月夜的心血呀，眼睁睁看它碎在我脚下，真是欲哭无泪。"

结果整整有一年时间，她不敢再碰木粉土。直到有一天忽然觉悟，不是木粉土不好，而是自己的方法有问题，与其放弃，不如找出控制的方法。有了这样心理调适之后,重新开始与之日夜温存、朝夕厮磨,渐渐,土也生情,成为她语言、情感、生命的延伸。

尽管雕塑基本功较差,艺术创作一事又只能意会、不能言传,但杨惠姗祭出了"勤能补拙"的法宝。借着到处问、四处看,时时集中注意力,在最短的时间内点滴充实,像海绵一样竭力吸收、再吸收,并且不畏尝试错误。"我自知没有基础,只能靠不停的观察、分析、学习,我看雕塑作品可以看很久很久,一天看不够,明天再来,直到烙印进脑子里为止。而且我是一个很能举一反三的人。"她点出自己的学习之道。

正如那句老话:"只要功夫深,铁杵磨成绣花针",杨惠姗花在雕塑上的时间,旁人难以想象。任何时间,无论在哪里,脑子里一直有新的构想,手一直想动,好像"上瘾"一样。出国旅行,坐车、搭飞机,"随身行李"中必定有一盒土;甚至连接受采访、开会也舍不得放下,耳朵一边听,双手同时灵活运作。

"一开始是有兴趣,到最后已经变成狂热!"她说。

几年下来,杨惠姗终于自学有成,在雕塑领域游刃有余。

七个"开国元老"之一、前些年因为搬运原料,不慎伤及脊椎而离开琉璃工房的张大洲,现在在淡水经营"琉璃情"茶艺馆,他可以说是亲眼看见杨惠姗拿起第一块土的目击证人,也曾一路分享她在雕塑上成长的惊喜。虽然已过了 10 年,张大洲还记得杨姐一工作起来的忘我境界,每天收工,都要伙伴一一轮番上阵,提醒、催促、威胁、强迫她:"肚子饿了,吃饭啦!""快半夜了,回家吧!""你不走,我们也走不了!(当时 7 个人只有杨惠姗有一辆车)眼看她还是话从耳边过,不动如山,干脆,使出杀手锏,"卡!"切断总电源,看她还有没有办法继续"赖"下去!才怪,她干脆揣一块土在怀里,车上也捏、回家也捏,张大洲印象很深刻,作品"悲悯"中那个小孩子的头像,前一晚还是杨姐带回去的一块土块,第二天早上来就已经五官分明、栩栩如生了。从把自己的茶艺馆命名为"琉璃情"就可以看出,张大洲对那段岁月的珍视怀念,"七个人一条心,不分彼此,卷起袖子一起动手,身体虽然辛苦,精神上却非常 HAPPY!"

打造梦工场

在此同时,身为这一群人精神及实质领袖的张毅,早已开始替大伙未来的前途计划绸缪。

首先,必须要有一个家、一个自己的家。

靠海是他与杨惠姗安家落户的共识。杨惠姗记得,当初找地的时候,心中就有一个强烈的念头:一定要靠海。

至于为什么要靠海呢?

张毅回忆:"现在说来有些可笑,最早是我在一份名叫《新玻璃》(New Glass)的杂志上看到一篇有关法国马赛国际玻璃暨造型艺术研究中心(CIRVA)的报道,我很天真的以为,马赛是个海港,CIRVA想必座落于美丽的海边,所以我们也应该把琉璃工房盖在海边。直到1997年有机会去参观CIRVA,才发现它藏身在一个闹市窄巷里,推门出去满地都是狗屎,比较起来,琉璃工房的环境好多了。"

他们当时对这个想法挺认真的,经常开着车子在北部滨海一带转悠,也托人帮忙物色。

一天,土地经纪人打电话来,说有一块地请他们去看一看。

满怀期待,他们开车上路了。方向盘打左,车子驶进一条窄窄柏油路,一小角蓝色跃然映入眼帘,心已经忍不住怦怦跳;再转个小弯,哇!碧波万顷,太平洋一望无际,碎碎白浪像裙边的蕾丝花,极有韵律地轻抚沙岸。整个下午,这对灵魂伴侣并肩坐在一堵倾颓的矮砖墙头,无语。当夕阳染红两人身影,他们眼神交接:就是这里了。

接下来两年时间,张毅带着王秀娟,颠踬奔波于台北、莺歌、淡水三地，亲自设计监工，打造出淡水琉璃工房这座梦工场。

　　沿着淡金公路，离淡水镇约20分钟车程，看到路旁挂着"贤孝国中"的牌子就左转，蜿蜒而上，远处蔚蓝海天一色，近处就是琉璃工房淡水工作室。

　　1989年2月，七个伙伴欢欢喜喜搬进新家。别人也许觉得偏僻，连到淡水镇上买个便当都不方便，但这群心思简单的人觉得，有了自己的家好幸福。占地600坪，真宽敞；一探头就看得到引人遐思的淡水夕照；还可以养一大群狗。

　　现任上海琉璃工房铸造部工程师林志昌，是琉璃工

从淡水工作室的落地门望出去，就是广大的太平洋。

房除七个创办人之外,最早加入的伙伴之一。他记忆犹新,当年看到报纸广告,去淡水应征,第一眼见到一幢"没有颜色"的大房子,配上一扇红艳艳的大铁门,他觉得毛毛的,在外面徘徊,不敢去敲门。这时候,一位骑着伟士牌摩托车的男士把车停在大房子门前(后来才知道他是琉璃工房的兽医),招呼他说,没关系,进来呀!心里七上八下,绰号"阿诺"的林志昌一进门,赫然看到一座 20 世纪的"城堡",空荡荡的水泥墙,大片阳光从三层挑高屋顶射下,气氛非常神秘。更奇怪的是,偌大的屋子里竟然看不到一个人(因为当时本来就是没几个人)。

他当时怎么也想不到,过几天自己就会成为琉璃工房的一分子,而且一呆快 10 年。

独具一格的工作室

琉璃工房淡水工作室为挑高三层楼的中空建筑,一楼展示间、办公室;二楼是 80 名伙伴工作的地方(这几年因为空间不够,又在旁边租了几间厂房,容纳灌蜡、修蜡、研磨、铸造等部门);沿旋转扶梯到三楼,右边一处空间隔做图书资料室,前方平常是大伙儿吃饭的餐厅,客人来的时候则充作接待室。一大片洁净原木地板、一整面临海的落地窗，布置既精心又随意。站在似乎悬于半空的宽敞露台，深呼吸、舒展筋骨，问问飞过天际的鹰："你去哪里？"

参观这幢独具一格的工作室，来客禁不住想：当初他们为什么要如此设计？反应了何种心情？

绝大部分构想源自张毅。

"从建筑本身可以看出我们的艺术倾向，不是太重实际。因为一开始只有七个人，也没预料到日后的扩张速度。至于心态嘛！想得到的只是希望诚诚恳恳、心无旁骛地做一件事，所以窗子全部都开向大海，朝马路的那一面是灰色高墙，连大门也设计成不想向外看的，意

淡水工作室外观。

味着一种封闭、隔绝,在其中会度过一段很长的折磨。"

人生急转弯

直到今天,不少人谈起琉璃工房,总觉得还蒙着一层神秘面纱,也许是因为从电影到琉璃,这个人生的弯实在转得太急、太猛了。

其实,琉璃工房的诞生看似偶然,其中又带着必然。

必然在于张毅和杨惠姗的结合。

主掌琉璃工房大舵的张毅,从"小荷才露尖尖角"的少年时代,就已经处处显现大将之风,其后不管文学创作、拍电影,都颇有鸿鹄一飞冲天的气势。他的自我形象、自我期待,从来都不是甘于平凡的泛泛之辈。离开电影圈,以他"要做人上人"的企图心,绝对会走一条非常特别的路,寻觅一个别人没做过、不敢做、充满挑战性的归宿。

10 余年前台湾根本没有琉璃艺术,展开在面前的是一个全新战场,而就是因为其中隐藏着太多未知、太大不确定性,正符合张毅大开大阖,又带几分霸气的性格。琉璃工房行销协理张刚谈起哥哥,有感而发:"如果没有因缘聚合的投身琉璃事业,他说不定会选择一个比琉璃更难、更累、更苦、更叫人无法理解的事业。"

杨惠姗从影 12 年，累积了丰富的美学经验，身体本身就是艺术表达的工具。离开演艺界，创作的渴望非但没有冷却，反而愈发旺盛。这时闯入生命的琉璃艺术，正好为她提供了绝佳发抒媒介。

以她和张毅之间的共同理念、相互信任为骨骼；以二人个性、特长互补为血肉；以浓厚坚实的感情为营养，一个名叫琉璃工房的小生命诞生了。

电影是助力也是阻力

不讳言，在孕育、抚养琉璃工房的过程中，电影经历对他们既是助力，也是阻力。

助力在于，如果杨惠姗不是影后，张毅不是导演，艺术琉璃的观念或作品都很难被媒体及社会大众注意到。也就是说，早几年的宣传管道、媒体曝光率都拜他们原来的高知名度所赐。

阻力在于，即使与电影渐行渐远，甚至完全无关，很多人还是会把影艺圈浮华的、享乐的、肤浅的印象，加诸他们身上，因此怀疑、否认他们投入艺术创作的诚意与成绩。也就是说，他们需要用更长时间、更大努力来证明自己。

琉璃工房当年艰难创业、在沙滩上所留下的那一行绵延的、曲曲折折的脚印,将成为中国琉璃史上永难抹灭的印记。

第五章

今生相随

——杨惠姗、张毅与琉璃工房

学习，从零开始

因为理想、因为希望，因为放不下
的情感，

琉璃，焠炼成我们心里的

安定里的祥和美丽，

我们大家的案头备忘。

——安定

从前，有一个自以为广参博学的年轻僧侣，去拜访一位老禅师，准备和他较量较量机锋。坐定，老禅师为来客奉茶。眼看杯子明明满了，老禅师还不住手，茶汁溢得满桌、满地，年轻僧侣着急地说，杯子满了，倒不进了。老禅师笑笑回答，是呀! 满了，就倒不进了。把过去的辉煌光荣倒空，把心中的我慢我执倒空，杨惠姗、张毅进入琉璃的世界，学习，从零开始。

探索脱蜡铸造技法

如果用非常粗浅的语言说明，玻璃制作的技法大概可以分成下面几种——

一、吹制法：利用钢制吹管，把高温融解的玻璃液吹出一个中空的形状，例如常见的杯、瓶等。

二、铸造：基本上都运用到模子 (吹制有时也用模子，例如日本的藤田乔平就是把玻璃液吹进木制的方形模子里，作出方形容器)，制造出来的为实心作品。铸造又分为压铸和脱蜡铸造。前者用于较简单的造型，多半为对称形状，最容易理解的例子是，台湾街头有一种常见的点心"鸡蛋糕"，把面糊倒进鱼形状的铁模，两片模子盖起来烘烤，打开模子，就出现一条双面对称的鱼。脱蜡铸造则运用于十分精密、准确、复杂的作品，例如要铸造一朵立体莲花，就无法只是压铸，必须用脱蜡法。

根据上海交通大学出版社出版的《艺术铸造》一书所述，脱蜡，是制作中小型艺术铸件的工艺方法，具有铸品精致、纹饰清晰、工艺灵活、适应性强等特点，可以制成非常复杂的艺术造型。作品层次丰富、形象生动、表现力强，薄至0.55公厘以下的纤细图案均可铸出。现为生产机器零件的重要手段。可大量生产，又可单件创作。艺术造型设计千姿百态。

脱蜡铸造法所具备的这些特质，恰好符合张毅最初对琉璃艺术品的期望，应该是一条值得探索的道路。

他们虽然片片段段由一些书籍里拼凑出琉璃制作的技术知识，但整体轮廓还很模糊。为了进一步掌握"玻璃粉脱蜡铸造"的技术，并为中国琉璃进入国际空间做准备，杨惠姗、张毅两人曾联袂到美国纽约"实验玻璃工作室"（New York Experimental Glass Workshop）进修。

虽然当时内部有很大反对声浪，怕自己一出去就会被"比下去"了，但是张毅、杨惠姗的想法显然比这些人积极，也更有远见。

抱着求知若渴之心，他们忍痛付出每小时2000美元的巨额"束脩"，要求老师单独开课、示范。每次上课从早上6点到晚上6点，除了睁大眼睛看，竖起耳朵听，

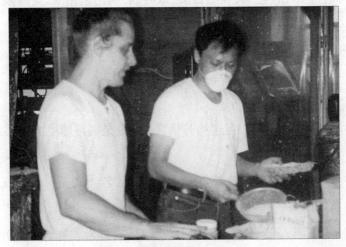

张毅、杨惠姗到美国学习的情况。

振笔疾书抄笔记，随身准备录音机、照相机，还请朋友用录影机全程拍下每一个制作工序。惟恐一个闪神，错失重要"绝招"。

　　现在想起那段"老来重做学生"的时光，杨惠姗说，她和张毅两个人长这么大，连在学校念书都没那么用功。当时他们抱着无比崇敬之心去学习，但平心而论，以琉璃工房现在的技术水准来看，该实验工作室脱蜡铸造的工艺其实很浅薄，对很多关键问题仍无法突破。因此尽管他们拼命学习，总还是遗憾"武功"未能大幅精进。不过，纽约数月学习最大的收获是一头闯进艺术世界，两人浸淫在大都会博物馆、现代美术馆以及大小美术馆、艺廊，耳濡目染，眼界、心胸迅速拓展，更激发对艺术创作的向往、憧憬。

与琉璃订下终身盟约

一个午后，在纽约苏活区，应该是杨惠姗生命中最关键的日子之一。

那天，张毅带着她来到一家名为海勒（Heller Gallery）的艺廊，轻描淡写："我上次已经看过了，你自己进去吧，我就在外面等！"杨惠姗依言进入艺廊，十几分钟之后冲出来，对张毅说，"不行，我一下子看不完，你到对面咖啡厅坐下来等我吧！"丢下这句话，转身又钻进艺廊里。"那是我此生第一次亲眼看见那么美的玻璃艺术品，比以前在书上看到的更美、更迷人，我绕着它们，360度仔细的看，被每一个细节所感动。明明看到牌子上写着"请勿触摸"，我还是忍不住偷偷摸了一下，像触摸圣物，又像是圆一个梦。"回溯往事，仍然心潮澎湃，胸口随着呼吸急促起伏。

"这些作品的丰富和自由，超越了我的想象，每一处都让我好奇。"说起这一段故事，眼神炯炯，杨惠姗容颜放光："我完全没准备，掏遍全身上下，摸出一枚笔、一本电话小册子，尽所有空白之处，密密麻麻地记下：创意的源头是什么? 造型怎么完成的? 运用哪些技法? 颜色为什么如此特别? ……我不舍得一次看完,可是又真的忍不住,还没看完这件,眼睛又瞄到另一件。"如入忘我之境,完全不知时间飞逝,直到艺廊工作人员很有礼貌地来提醒:"对不起,小姐,我们要打烊了。"她才恋恋不舍,回到现实世界。

也在那一天,她收藏了生平第一件玻璃艺术品。

"那是一件被命名为'城市'(City)的大型作品,作者为杰·马斯勒(Jay Musler),造型像个敞口大碗,器壁超薄,通体呈橘红色,边缘设计成高高低低、或粗或细的长条柱形,在集光灯束照射下,像极了夕阳渲染、高楼鳞次栉比的城市景象。"一见钟情,杨惠姗兴起了与

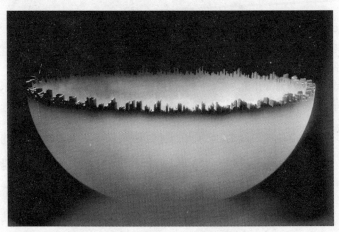

美国琉璃艺术家 Jay Musler 的作品"City"。

它朝夕顾盼、赏玩摩挲的欲望。虽然价格不菲，"大当家"张毅不但乐见其成，还似乎颇有"深得我心"的鼓励。

从纽约回台北，包括这一件在内，他们共买了5件——每件重达10公斤的宝贝，由两人一路背在肩上，飞渡千里，越过太平洋，丝毫未损。

美国之行，带回两颗"安心"。张毅确定自己没看错惠姗，此妹来日必成大器；惠姗则确定自己将与琉璃艺术订下终身盟约。

从此，日子走进一种单纯的丰富。

单纯，因为每件事都与琉璃有关。丰富，因为藏宝之门一开，进入琉璃世界，如同进入万象之都。

体会"太阳"威力

一月底的淡水，平均温度总要比台北低上两度。东北季风顺着河海交会处长驱直入，又湿又寒。

霪雨霏霏，踏入琉璃工房淡水工作室大厅，冻僵的双手慢慢开始恢复血液循环，但厚重冬衣仍紧紧裹在身上。主人杨惠姗迎出来，薄薄粉黛，酒红色唇膏，衬得整个人神采奕奕。长发松松地打了个麻花辫，黑色高领套头毛衣，外罩一件质料很好但已有些年数的皮夹克。身高近 170 公分，双腿修长，走起路来轻快而有韵致。

由她前引，沿着红色栏杆上二楼，空气稍暖了些，愈向里走，温度愈高，大衣终于穿不住了，索性脱下，挽在手上。不知怎么，脑子里忽然联想到《北风与太阳》的寓言故事。往前几步，果真发现有一个"太阳"——一座经常维持在摄氏 1400 度的高温融解窑炉。只见一位约莫 20 出头的大男生，拿着一根比他人还高的铁管，伸进窑里，"舀"了一勺艳橙色的浓浆，稍微冷却之后倒出来，变成一块块直径四、五公分的圆形玻璃，乍看有点像路边卖的小吃"车轮饼"（他们的专门术语称为"包球"）。

也曾亲手烧过不知几多"车轮饼"的杨惠姗解释，小伙子正在融解原料，把浮在表面的杂质捞掉之后，再根据需要，制成各种大小的块状，经过这道程序，可以提高原料的精纯度。而不管什么颜色的原料，烧到这个温度，都会呈现太阳般的颜色。

另一个年轻伙伴此时也走向融解窑炉，用钢管捞出一球玻璃原料，先是一点点往钢管里吹气，然后再用厚厚的湿报纸托住，慢慢转动，修正形状。湿报纸一接触到这些高温玻璃"浆"，立刻烤焦，一片片剥落下来，假如烫到人，后果不堪设想。捞、吹、修，据说通常这个程序要反复操作达三四个小时，才能完成一件作品。

还陷在大开眼界的惊异中,杨惠姗忽然促狭地眨眨眼,"要不要来亲身体验一下呀?"没来得及说 yes 或 no,已经被温柔（其实力道很大）地推上窑前的工作平台,"不要动,看看你能站多久?"前 10 秒还不晓得厉害,眼睛盯住地心岩浆般的玻璃溶液,接着双眼愈眯愈小,直到快要无法张开;炙热的气流滚滚迎面涌动,脸发烫、嘴唇好像肿起来,身上的水分似乎迅速被"拔"光,头发好像也快要发出焦臭的气味,"才 30 秒,再坚持一下!""不行,快要烤熟啦!"踉跄逃下来,纪录是 50 秒。她早就料到会有这种场面,只是想借此说明,窑内温度高达 1400度,室温经常 40 度,制作琉璃不像外面想象得那么罗曼蒂克,"我们经常一站就是 6 个小时,无论冬夏,一件 T恤,常常全身都给汗湿透了。"边说边比划着从衣摆拧出汗水的动作。

体力、耐力、智慧的考验

玻璃工艺是体力、智慧、耐力、敏捷的结合。

记得有一次她正进行吹制,因为用力不平均,钢制吹管上的玻璃溶液好像快要变形了（地心引力的关系）,情急之下,本能反应,用手去抓住吹管前端,一阵撕心裂肺的巨痛传来,手掌立刻拉(烫)下好大一块皮。但此时还不能撒手扔下吹管，否则功亏一篑，只得咬着牙完成。

"这跟做陶艺不同，陶艺容许停下来慢慢修改，做不好和水重来，就好像电影《第六感生死恋》里面的男女主角一样，还可以边拉胚边亲亲!"她俏皮地说。

的确，尚未亲历这一趟"琉璃之旅"前，满脑子还以为照片里的杨惠姗经常戴着一副大墨镜，是为了表现艺术家的"酷"；而头上总绑一条像小海盗一样的红头巾，是她特别设计的新潮造型。此时终于恍然大悟，戴墨镜原来是为了保护长期注视高温窑炉的眼睛；而红头巾有防止汗水流下，以及保护头发、眉毛不遭殃（烧焦）的功能。留着一头长发，杨惠姗以前经常一面工作，头发就着火了，因此每每利用上班途中，张毅开车，她拿把剪刀，对着后照镜，摇摇晃晃，表演危险的剪发动作。结果一头长发愈剪愈短，发尾参差不齐，像狗啃过似的。

从土法炼钢到完整工序

如果说别人的奋斗历程是"一步一脚印"，他们几乎是"一步一跌跤"，完全土法炼钢，付出一次次失败的代价，才换来今天的技术知识。

七个创始人之一的陶惠萍还记得，因为技术上无知，一切靠"双手万能"。最早他们找来一个婴儿澡盆，就把石膏、砂、水混在澡盆里，开始做石膏模型。杨惠姗光着手，连手套都没戴，就伸手进去搅拌，手拿出来一看，像秋天芒草翻飞的田园，皮肤上布满一条条细细血痕、指甲也刮花了。(用手搅拌，因为可以直接感觉石膏和水的比例是否适当；不戴手套，因为可以用手指把混合过程中未完全溶化的石膏颗粒捏碎)。

还有，既然名之为"脱蜡法"，当然一定要用蜡喽! 他们不晓得光是蜡就有几十种：原形蜡、雕塑蜡、蜜蜡，还有所谓铸造专用蜡。反正书上说要用蜡，每次一上街，就把几家杂货铺的蜡烛搜刮一空，然后一群人七手八脚的把蜡烛弄断，拨出烛蕊，再开始加温融解。现在说来有些可笑，他们当时却是非常认真的。

这几个"土包子"也搞不清楚脱蜡要怎么脱，最早就是"想当然耳"，拿一座瓦斯快速炉，买一只炒菜大铁锅，上面再摆一个铁架，像蒸馒头一样，放在锅子里面把蜡"蒸"掉。

更离谱的是，书上说必须加一些"纤维"增加石膏透气性，他们真的去找了一些干牛粪放进去烧 (石膏模最重要的是保持"均温"，放入干牛粪，其纤维在高温下会挥发掉，留下透气空间，以提高石膏的均温性)……。

那时很多关键技术还不成熟，经验都是一次次微调，甚至从可怕的失败中学来的。也会发生一些不明原因的惨案。譬如有一次洗完水塔，发觉从徐冷窑烧出来的琉璃颜色发黑，或是一烧就产生奇怪的黑烟。后来才搞清楚，因为刚洗过水塔，水里含有盐分，用这种水混合石膏，结果惨不忍睹。

一座地下琉璃冢

稍微了解陶瓷工艺的人应该知道，一件陶瓷作品的成功与否，和烧制的时间、温度息息相关。琉璃工艺在这两项技术上所需的精确、稳定，比陶瓷只有过之而无不及。然而，他们七人中间没有一个具备理工背景，哪一种玻璃原料的熔点高、哪一种的熔点低；多大的作品要烧多久？温度上升的速度、下降的速度怎么控制？还有所谓"膨胀系数"、"收缩率"……都像一块块横在路上的大石，必须发挥愚公移山的精神，才能一寸寸向前。

琉璃工房在"前无古人"的状况下，不知吃了多少苦头，受了多少挫折打击。

投身琉璃，杨惠姗又拿出拍电影时"拚命三娘"的精神，除了钻研大量书籍，更不断亲自动手操作。平均一天睡眠不足 3 小时,而且都还是在车上睡的。

"电影可以利用 NG 修正错误,用剪接去粗存精,但琉璃就没有这份幸运,每一个错误都意谓着从零再开始。"杨惠姗现在说得如此心平气和,因为已闯过无数惊涛骇浪。

经常,好不容易完成十道以上工序,放入徐冷窑中去烧结,但若不是温度太低,原料无法完全融解,流不进模子的细节里;就是温度太高,原料"咬模子"(因为石膏模中含有一定比例石英砂,温度太高石英砂也会融化,并且和玻璃液沾黏在一起),根本拆不下来。

还有,徐冷的时间如果不够,或是温度急剧下降五度以上,脆弱的玻璃就会以"自毁"作为报复。有一段时间,每次开炉都只见到一炉碎玻璃,触目惊心。随之而碎的不只是金钱、时间,更是每一个人的心。一而再,再而三,大家都变得不敢去开炉子,最后还是"哄"杨姐去,还"瞎掰"说什么杨姐有一双"奶油桂花手"。"其实我也不是特别勇敢,总要有人去做嘛,何况他们都哄我,说我手气比较好。"杨惠姗又好笑又好气。直到现在,淡水琉璃工房后院,深一公尺多,面积 10 余平方公尺的地下,仍埋着当年烧制失败的一大堆碎玻璃。百年以后若是有人来考古,一定会很惊讶,这里竟然有一座"琉璃冢"。

惨烈的耐火石膏战役

由于设备不完善,经验也不足,常常都要发挥"人定胜天"的精神。

第一代伙伴卢文胜、林志昌,在还没有电脑控温仪器的时代,必须不分日夜"目测"徐冷窑炉温,晚上随便抓点东西果腹,铺块硬纸板就睡在水泥地上。今天琉璃工房流传着一个几乎已经是"经典"的事迹:外号"阿诺"的林志昌,当年负责掌握开炉时间,为了观测降温情况,他干脆蜷缩在一张躺椅里,睡到钢炉边。淡水的冬天极冷,他也不盖棉被,"因为一盖被怕会太舒服,睡得太熟,误了看炉时间就糟了。"侧躺,靠近钢炉的一半身子是热的,另一半则是冷的,等到一边热得受不了,一边冷得受不了,在半冷半热中醒来,正好是该看炉的时间。"而且每翻一面,几乎恰恰好半小时,连闹钟都不必用了。"

打得最惨烈的技术之战,恐怕要数征服耐火石膏一役了。

前三年半,7500万元的投资中,消耗在耐火石膏上的,大约就超过6000万元。

资历接近10年的林志昌说过一个不算笑话的笑话:"我刚进工房的时候,觉得好奇怪,为什么一个几公分的小作品,外面要用十几公分厚的石膏模,我还以为有什么高深的秘密呢。后来才知道,秘密就是——那么做是错的,根本没有必要。"

一些"事后孔明"也许会说,有什么大不了,说穿了,耐火石膏的技术关键不过就在于水分与石膏粉的比例罢了。可惜当时没有任何人知道这个"神奇配方",只好从一次次去尝试错误。有时候水分太少,模子很快就干裂了,只好一层又一层往上加,愈加愈厚,就造成了林志昌所看到的怪现象。但如果太湿,进炉之后水分蒸发出来,流到四面的电热圈上,结果就是整个炉子冒黑烟,释出一股很强的硫酸气,又酸又辣,呛得人眼睛都睁不开。有时候连炉子内壁可以耐1600度高温的耐火砖都会被腐蚀、穿透,满炉子焦黑,让人倒抽一口冷气。

可想而知,不但作品毁了,窑炉也完了。

因为这样而烧掉的窑炉总价数百万元。最沮丧的是,当时整个台湾只有他们几个人从事脱蜡精铸艺术琉璃,求助无门,那种束手无策的绝望,日日啃噬他们的心。

接二连三失败,加上经济上的负担,伙伴之间士气跌到谷底,很多人哀求:"张大哥,不要再试这种石膏了!"包括王侠军在内的一些伙伴甚至想干脆放弃脱蜡铸造法。但是有一个人不愿就此弃械投降,反而屡败屡战。倒不是因为她已经把全副身家财产都投进去的关系，而是骨子里有一份韧性、缠功。她决定再鼓勇气，投入石膏浴血战。

嘴上不吭声，暗地里却吃了秤铊铁了心，杨惠姗请出精通英文的父亲，把书上有关耐火石膏的章节，逐字逐句翻译成中文；再将有关石膏与水比例的那部分，换算成她可以掌握的计量单位。这几张纸随时钉在她的工作台上，一点点加、一点点减，终于让顽强的敌人俯首称臣，烧出第一件成功的作品。

猛回头，彼时琉璃工房创业已经 3 年半了。

清华大学教授杜正恭有一次和张毅聊起，当年着实替他们捏了一把冷汗；"你运气不错，理论上，应该在三年之内就赔光所有的钱，关闭了事！"

整套工序摸索而来

现在踏入琉璃工房，只见得伙伴们按部就班、工序环环相扣，秩序井然，但说出来很多人不相信，到目前为止，整个台湾还没有专门玻璃粉脱蜡铸造而开发、生产的机器设备。这么多年下来，他们像玩"拼图游戏"一样，把其他产业所用的机器，一一试着拿来用用看。但使用的细节、如何和琉璃这个材质结合起来，其实都不清楚；用的过程中发现不理想，再慢慢改善。整套工序也是渐进式摸索出来的。

最早他们连有什么机器可用都不知道。例如不晓得有所谓"搅拌机"，拿手当铲子去搅拌；不知道有"震动机"，把一张桌子的一支脚锯短，利用桌子的不平，把石膏中的空气赶出来。

甚至没有现成的炉子可用，都是根据不同阶段的知识、需要去请人专门订做的，各个窑炉的温度、内部结构都不大相同。前两年到琉璃工房参观的人，还可以看到几代炉子像"七爷八爷"似的排排站，有大有小、有高有低；有的侧开、有的顶开；有的上面还挂着风扇（散热用）。

至于研磨设备，最早只会用人工和磨砂纸，现在已经发展到用电，再用电带动气动。磨头尺寸、形状、功能各异，乍看很像牙科医生所用的磨牙设备。

喷砂机现在也分粗喷、细喷两种，砂质的粗细、施力的大小，都已能逐渐掌握。

现在有些机器厂商在推销产品的时候，甚至还会说："琉璃工房都用这个，你用就对了！"

工作意外频传

随着琉璃材质渐渐蔚为风尚，不少人家里开始摆设、收藏琉璃作品，或是打上灯光、温柔凝视；或是抚触把玩，想象流动的斑斓里，诉说着什么样浪漫的情节。然而他们可能想像不出来，许多作品背后都埋藏了大大小小的"伤痛"，用琉璃工房这11年来的"惨案"当素材，写个剧本，简直可以拍一部惊险、刺激的恐怖片。

早期最大的噩梦是融解窑炉中的坩锅"破锅"。

某一天早晨，张大洲如同以往，开炉检查昨晚所加的料，并且把表面含有杂质的一层捞出来。但是吹管一伸进去，发现里面已经半空，他暗叫不好，"完蛋，破锅！"此时必须尽快把坩锅拉出来，否则流出的玻璃液，会把发热体打断（发热体每根18000元，共15根，处理不当，近30万元泡汤，炉子也毁了）。所有人赶快穿上防火衣，设法救这座炉子。

当时情景，用"把命都豁出去了"来形容一点也不为过。首先，必须不断加温至摄氏1400度，防止玻璃液冷却之后沾黏，而防火衣只能耐900度；其次，坩锅已经破了，一拉出来就会向两边倾倒，如果被重达150公斤的坩锅压伤，后果不堪设想；最危险的是，一边拉，滚烫的玻璃液一边流下来,连水泥地都"脱皮",被烧出一个黑色大窟窿,还哔哔剥剥响。

其他大小意外也不胜枚举。

有一次灌石膏,为防止石膏外流,好几双手护住模板,接着要赶快用钉枪钉住固定,说时迟、那时快,只听到一个人哀号:"我中弹了!"原来他是被钉枪钉到,3公分长的钉子斜插进右手虎口里,必须动用尖嘴钳才拔得出来。

另外一次,几个人利用杠杆原理,想把沉重的台车从窑炉轨道里拖出来,一个没抓牢,钢管反弹回来,击中胸部,差点停止呼吸。

诚品首展

今生相随——杨惠姗、张毅与琉璃工房

至于被玻璃割伤已是稀松平常，深可见骨的也所在多有。一天，一位负责研磨的小帅哥，正在为一件四方形的作品抛光，角度一歪，作品从手里弹出来，正中口鼻之间，当场血流如注，到现在疤痕都还依稀可见。

还有人被上千度的融解玻璃溅出来烫伤过，玻璃液还带着火，拍也拍不掉，一拉整块皮跟着扯下来。连续一个月，如果不包冰块，晚上痛得根本睡不着。

因为大伤兵、小伤兵经常报到，在淡水镇上的几个医院探听一下，琉璃工房可是大大的有名。

迈出艰难的第一步

1990 年底，在台湾琉璃艺术界，有一个值得记入史册的日子——琉璃工房在仁爱路圆环边的诚品画廊，举办首次展览。在七八十件作品中，大部分是吹制作品，只有女性系列作品，以及"天祭"——一只荧荧散发暗绿幽光的鼎状容器，共四件，是以玻璃粉脱蜡精铸法制作的。作为琉璃工房第一次与国人见面的献礼。

"老将"陶惠萍提起那次展览，仍百感交集。当天要开幕了，鱼肚白色的微曦中，杨惠姗还在替作品做最后修整，喷得满身满脸玻璃渣；张毅双眼布满血丝，已经为剪接宣传录影带熬了一夜。陶惠萍自己同样精神恍惚，还开着车去张罗酒会用的杯子、小点心。当开幕音乐响起，几个人目光交会，一股辛酸从胸口冲上来，沿着鼻子两侧，涌进眼眶，再顺着双颊流下。

回忆起那次展出的作品，杨惠姗感触颇深，因为实验色彩还很浓，虽然参观者济济一堂，绝大多数作品也被买走了，但如果仔细看看收藏者名单，发现几乎都是熟人，包括故去的《联合报》系董事长王惕吾先生、《中国时报》系董事长余纪忠先生、帮忙设计淡水工作室的赖镇卿先生等，还有许多人是因为当年电影圈的关系而来"捧场"，多半属于"同情票"。

虽然张毅、杨惠姗自谦为"卖老脸"，这些长辈与朋友却都是发自心底的支持。虽然他们不太清楚艺术琉璃是什么，大部分人也是第一次看到，但每一场人生的竞赛不都需要热情的啦啦队吗？

"琉璃工房有今天，最应该感谢所有的长辈、朋友！"张毅动容地倾诉。

第一步最难，迈出去之后，国人对虽陌生却迷人的琉璃艺术，逐渐升起一股亲近之心，不到 10 年之间，台湾艺术琉璃馈赠、收藏蔚然成风，市场也逐渐成熟，岛内个人琉璃工作室大大小小超过至八家，这八家，包括王侠军的"琉园"在内，无一不与琉璃工房有深厚的渊源。同时，国际知名水晶品牌也纷纷进军台湾，相继设立专柜,最有趣的是,当这些国外品牌与国人接触时,竟也承袭了张毅的概念,自称为"琉璃"。

如果说琉璃艺术品的基础已经初步建立,或是琉璃艺术品已在国人生活中占一席之地,毫无疑问,琉璃工房是开风气之先的前锋。

永不服输的傻瓜

然而,这并不表示学习之路已跑抵终点,每研发一件新作品,就会有新的问题产生,而其中大部分的问题都是杨惠姗解决的。

例如做佛像,尤其是瘦长造型的佛像,气泡问题始终无法克服,技术人员几乎一筹莫展了。她丢出一个点子:你们为何不把原料先做成一根柱子,直接通到模子底部,融化的时候底部先注满,比起从铸口上滴下来,气泡会少很多。一开始,年轻伙伴觉得做柱子麻烦,又怕把模子弄坏,拖拖拉拉;更重要的心理障碍是,他们认为自己是专业技术人员,杨惠姗却是"外行"。"理论上不可能嘛,哪有那么容易,好好笑!那么天真!""杨姐"知道了,也不生气,只说,试试看嘛,不试怎么知道管不管用。心不甘、情不愿,结果一试之下,"宾果!"问题迎刃而解。

这种例子还可以举出很多很多。

事实上，就是因为专业人员受限于经验，失去了一份天真，想象力不如她那么奔放、丰富，往往别人认为不可思议的事，只因为她换了一个角度去思考，才能找到柳暗花明又一村的出口。

阿诺形容杨姐"永远兴趣盎然，精力旺盛，对每一次新尝试都很兴奋、期待；而每一次挫折，都是下一次成功的养料。"看看杨惠姗的笔记本，常常都是密密麻麻的，记下一次次实验的数据、结果。她保持不达目的、誓不罢休的精神，交代过的事情，常常"追着打"（阿诺用语），有些小朋友一开始难免觉得烦，但看到她自己也没偷赖，斗志反而被激励起来了。

的确，杨惠姗似乎天生就有"傻瓜精神"，字典中没有"不可能"三个字。一般人往往把自己设想在一个恶劣环境；她却把自己安置在一个乐观的处境，看得很开，失败了再来，没什么大不了的。

这也就是张毅常说的"一路绿灯"的概念，没上路之前如果先假设一路红灯，恐怕迟早会放弃；但如果心理上相信一路绿灯，自然可以过关斩将，抵达终点。

年轻伙伴海外展实力

为了让年轻伙伴有机会学习更新技法,并加强与国际艺术玻璃界的互动,琉璃工房每年选派两个人,到西雅图皮尔恰克(Pilchuck)玻璃学校进修。

一年,林志昌和另一位工程师曾志明来到皮尔恰克学习铸造。一听说他们是台湾来的,许多人抱着鄙夷、防备的态度,猛下通牒:"NO COPY!"也难怪,谁要台湾"仿冒王国"的恶名远播。但是一段时间下来,看到他们带去的幻灯片,以及扎实的基本工夫、娴熟的艺术观念,同学们态度慢慢转变,甚至会佩服地说:"你们都已经这么专业了,还来学什么?"

结果摇身一变,他们成为客串助教,林志昌教同学如何灌石膏、如何修模子;曾志明协助老师做相容性实验,反过来指点老师几招。

在皮尔恰克,这两个小伙子还有一件大大露脸的光荣纪录。

话说有一位女老师,卖出一件自己的作品,价值 1 万美元,之后又向收藏者借回来展览,没想到展出中不小心碰缺了一个角。女老师急哭了,到处去求救,人人都双手一摊,爱莫能助。在琉璃工房是研磨一把好手的

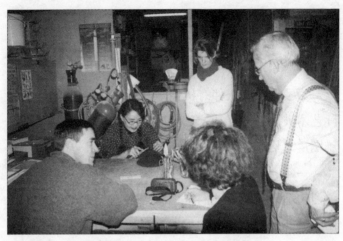

杨惠姗赴法国 CIRVA 教授脱腊铸造技法。

林志昌和同伴商量，决定拔刀相助。

话一说出去，所有人都半信半疑。阿诺胸有成竹，看着，开始啰! 随着时间流逝，"观众"的表情由轻蔑到惊讶、佩服，快完成了，老师露出欢颜，忍不住竖起大拇指。修完之后，看不出有任何损伤痕迹。

"在琉璃工房，我们不光是纯粹的抛光技师，还经过美学训练，顺着造型修下来，天衣无缝。"可不是嘛! 现在说起来还掩不住洋洋得意。

当下，学习再学习

从花大钱到纽约进修；向法国杜姆 (Daum) 取经被

拒门外，直到 1994 年，杨惠姗应东京玻璃艺术研究所由水常雄先生之邀，赴日本石川县能登半岛玻璃美术馆，担任脱蜡铸法示范教席，成为同时任教的戴尔·奇胡利(Dale Chihuly)、约翰·雷顿(John Leighton)等艺术家之中，唯一来自东方的女性教席。闻名全球的法国 CIRVA 来台湾，希望取得脱蜡铸造法的关键技术(因为法国杜姆严格保守脱蜡铸造法技术机密)，并邀请杨惠姗担任访问艺术家 (Visiting Artist)，前往法国示范讲学。

琉璃工房，每一个当下，记取老禅师倒茶的深意，学习、再学习。

自此以后，中国琉璃有了属于自己的一片天空。

何谓玻璃粉脱蜡铸造

一、发想、设计，画出平面图纸。

二、雕塑，将木栉土与水按比例充分糅和，依据设计原稿雕塑成形。

三、上矽胶膜，约 3 到 7 层，一层干了再上另一层，每层间隔约 30 分钟。厚度须一致，避免造成蜡液外漏。

四、外层套石膏模加强固定，刷离形剂，取出矽胶膜，土制原形废弃(因为易干裂)。

五、在矽胶膜中灌入树脂,凝固后取出,成为永久原形,送回雕塑者修整。

六、再在树脂永久原形上刷矽胶膜,再灌石膏,再出取矽胶膜。

七、将煮沸的蜡水徐徐灌入矽胶膜中,等其降温凝固之后,取出蜡形。

八、修蜡,灌蜡过程中,造型可能略微失真,必须经过修蜡过程,将其修为雕塑原形。

九、翻制耐火石膏模,将蜡模置于木板上,以铁片围在其外,再将石膏液灌入,待其干燥。

十、脱蜡,用蒸汽高温脱蜡,蜡融解之后,留下一个石膏模。

十一、配料(之前先检查原料,剔除杂质,秤重量、排颜色先后顺序、决定料的形状、大小)。

十二、原料及石膏模一起进窑炉烧结。

十三、烧结,利用电脑程式设定升温曲线、降温曲线,以摄氏1000度徐徐的升温、降温,使水晶原料融解,精确流至每一细节。

十四、拆除耐火石膏模。需要高度耐性及精准力道,否则会功亏一篑。

十五、粗磨,切除铸口多余部分,测高度、测水平。

十六、细修,用砂纸做表面抛光处理。

十七、细磨、用快速转动的布轮打磨。

十八、检验、有无气泡、断裂，经过品质审核认可。

然后刻上签名，正式成为琉璃工房的水晶作品。

十九、包装。

第六章

"另类"创业故事

用决心、用光表现，

然后每天面对，每天鼓励自己，

人生，永远顶尖。

——龙凤顶尖

今生相随

——杨惠姗、张毅与琉璃工房

工房 琉璃

读过许多"白手起家、创业致富"的故事，大概都脱离不了下面的基本情节：某一个年轻人从小家贫、却早有大志；确立目标、努力奋斗；或吃尽苦头，或幸遇贵人；最后熬到云破日出、功成名就……。

琉璃工房的创立、发展，却似乎套不进这个公式。

10多年前，张毅和杨惠姗自演艺界急流勇退，但对于以后要做什么、走哪一条路，并不是那么眼光远大、一往直前的。

"那个时候，我和惠姗都已经是三十五六岁的人了，再一晃就四十岁，能不能跳出来，做一些自己想做就可以做的事？"张毅最初只有如此单纯的期望。

如果要罗曼蒂克一点，开花店？

若是走务实路线，炒股票、经营房地产？

既然自己爱看书，干脆开一家品味高雅的书店？

跟随大多数"退役"演员的步伐，开餐厅、咖啡馆？

似乎股票、房地产最容易入手。

他们刚离开电影圈的时候，正是1986年，台湾股市大好的高峰期，加权指数从原本5000点左右，飙涨到10000点；同时房地产业空前景气，朋友之中左手买进、右手卖出，立刻"翻两番"的例子所在多有。张毅、杨惠姗也曾在房地产市场"赌"过几把，每天一大早起来，摊开各种报纸的房地产广告，煞有介事，研究地段、价格、增值率,然后跑去看房、签约。买下房子之后,照自己的想法设计、整理,然后再卖出去。其间虽然赚过一点钱,也交了不少被人蒙骗的学费。尝过"热钱"滋味,但两个人都不快乐:"我们知道股票、房地产容易赚钱,但赚钱不是我们离开演艺界的原因,难道我们要这样过一辈子吗?那段时间几乎都不需要认真劳动,每天睡到日上三竿;钱来的快,但也花得快。心里愈来愈慌,很怕自己就此物化、沉沦下去。"碰到张毅这个"不识时务"的秀才脾气,硬是把财神爷都赶跑了。

重新寻找起点

另外有一段时间,还真不是开玩笑,杨惠姗曾经天天跑餐厅,认真得很。但她一不为观摩生意;二不为监督经营,而是去当油漆工人——在自己二哥所开的那家餐厅。

每天,晚餐热潮忙过,客人心满意足奔向温暖的家,霓虹灯相继熄灭,整条街沉睡在浓浓夜色中。餐厅刚打烊,有一个人已经准时报到,跃跃欲试。鸭舌帽、遮住大半张脸的口罩,布衣棉裤,拎着各色油漆、刷子,连喷枪都准备好了。

子夜,不眠,大展拳脚。餐厅几面墙,成为她的超级大画布,恣意挥洒。又是涂又是抹;今天刷上热情的红、明天换成安静的蓝;试完水性漆,再试油性的⋯⋯。

在别人眼里,那一段时间的举动几近疯狂:"几乎天天来一次,自己都不知道自己在干什么,但又觉得很理所当然,每天忙得精疲力尽,很过瘾!"日后分析起来,杨惠姗认为,当时可能内在有一股创作的强烈欲望,挥之不去,刷油漆只是想找一个宣泄、发抒的舞台。

陪着她一起"发疯"的二哥,心里却像打翻了调味瓶,说不出是甜、是酸、是苦。曾经眼看惠姗在演艺高峰时代,每天过着争分抢秒、五色神迷的紧凑生活;又眼看她猛地慧剑一斩,头也不回离开那个环境。是呀!会产生"空虚"或"茫然"的感觉岂不也是人之常情。无论拼命学钢琴、跳爵士舞,甚至刷油漆,都只是想让自己保持动态的节奏,不至于消沉怠惰。

为了亲爱的小幺妹,要发疯,就陪她疯一场吧!也管不了餐厅每天变个脸,客人上门会不会瞠目结舌,以为走错地方了。

寻寻觅觅中,开书店的梦想始终萦绕不去。

张毅从小是个书痴,博学杂闻装了一肚子。长大后,每到一个地方最爱泡书店,出国回来,行李超重,也都是因为他的宝贝书。刚好,他认识一位副导演,同学家里开了一家颇有名气的书店,何不向"前辈"请教书店经营之道?不料这位仁兄话匣子一开,唏哩哗啦吐出了一大盆苦水:什么一年 365 天都要开店,不能休息呀!什么遇到台风淹水,一本本书随波漂流呀!还有"雅贼"防不胜防、血本无归呀!

好了,好了,别再说了。书店梦化为泡影,因为知道太多"真相"以后,反而不敢贸然投入。

无知,所以勇敢

说来可笑,正因为对琉璃行业的无知,才产生无可救药的勇敢;也因为没有"前辈"告诉他们将有多少痛苦、挫折,才会傻傻的愈陷愈深。

现在仔细回想,其实朋友们不是没有警告、劝阻过他们。

现任城邦出版集团董事长、素有"才子"美名的詹宏志,多年前曾这样"点拨"张毅:"全录(XEROX)在复印机这个行业里无疑是第一品牌,但如果进军电脑市场,可就不见得有竞争优势了。"言下之意?很简单,张毅、杨惠姗在电影圈里虽然已经攀爬巅峰,一旦"转行",却是前途未卜。

和张毅认识 20 几年的美术创意顾问王行恭记得,

好长时间没联络，有一天张毅忽然出现，邀请他去参观琉璃工房位于天母的艺廊，而且说淡水那边都已经规划好了。王行恭闻言大惊："你真的要做下去吗？很麻烦耶！材质陌生，设备从零开始，连我们学工艺的都不敢碰。"

的确，很多国家的玻璃艺术家不过就是在自家后院(或车库)放一座炉子，每年作二三件，卖掉就可以收支平衡。张毅却把淡水工作室盖得像搭电影布景那么大。几年以后，又在上海盖了一个工厂，比淡水还要大三倍，正常人怎能不怀疑他"头壳坏去"。说是"误打误撞"也好，说是"跟自己过不去"也好。中国琉璃事业之舟终究启航了！即使迷雾、暗礁、风暴接踵而至，只要忠于自己，忠于内在的声音，总能看见远方的灯塔。

神秘、猜测、流言

不可讳言，当他们挥别演艺事业，带着其他五个伙伴，打算开垦琉璃艺术这方处女地的时候，很多人抱着看热闹的心情，怀疑"这一群拍电影的门外汉"能撑多久；甚至冷眼旁观，预言半年之后他们就将铩羽而归，重操旧业。

轻啜一口荡新绿的抹茶，杨惠姗回忆 10 年光阴流

三年半之中闭门创作之地——淡水工作室。

转，神态静谧从容。

创业头几年，他们闭门研究开发，进入"半隐居"状态。一方面因为需要一个安静的创作环境；另方面因为还拿不出任何作品来。所以任何关心的探访，一概婉拒，连爸妈家人都没踏进过半步。不和朋友联络，更不与媒体接触。有一次，李行导演人都已经到了莺歌，打电话知会，想顺便来看看他们，硬是给杨惠姗委婉又坚定地回绝了。

琉璃工房淡水工作室愈是神秘，外界愈是费劲猜测他们葫芦里卖的是什么药。

有一次，实在拗不过某家杂志的诚意可感，答应记者来采访。结果杂志刊出后的标题是："杨惠姗、张毅流落淡水卖玻璃"。他们看了啼笑皆非，"那时候谁知道艺术玻璃是什么呀,记者大概以为我们在卖玻璃窗、玻璃杯之类的东西。"想当然耳,结论是:影后、导演已经"落魄"至此。

这个标题也容易给人不雅的联想,因为玻璃是"屁股"的别称,尤其在同志圈中很流行,所以"卖玻璃"也成为一个双关语。

更有一些绘声绘影的传言:"像杨惠姗这种养尊处优的大明星,怎么可能自己动手做呢,一定是后面有人帮她捉刀,不过照相时摆个 pose(姿势)罢了!"

关于这一点,七位创业伙伴之一的陶惠萍,说了下面这个小故事。

诚品艺廊第一次展出前夕,他们虽然自知作品不够成熟,但抱着"钟响了,总要交卷"的忐忑心情,邀请一些艺文界朋友参观淡水工作室。当画家林惺岳和杨惠姗两只手交握的一刹那,林惺岳露出惊讶的表情,脱口而出:"我现在相信你是自己动手做的,没想到你的手竟然那么粗!"

面对种种质疑,杨惠姗并不为忤,"最好一笑置之,因为这好像问一个画家:你真的自己画画呀!?"

谣言止于智者,事实自己会说话。今天,杂声已渐渐微弱了,杨惠姗不但身为琉璃工房首席设计师,也是极富素养的雕塑家。在玻璃粉脱蜡铸造方面,她对十几道繁琐制程了若指掌,并且亲自监督。经过她认可的作品,才会呈现在大众面前。

还有人曾斩钉截铁地断言,"搞电影的,半路出家,绝对吃不了苦,最多只是玩票一阵子就不了了之了。"

但是,他们一"玩"却是 10 年。有一次,因缘具足下,证严法师到淡水琉璃工房参观,看到他们带领一群伙伴,在炙热难熬的环境中,仍然"乐在工作",突然感慨地说:"这也是修行的道场呀!"

全力演出新角色

也许是人性使然,古今中外,社会总以议论、评价公众人物为乐事,尤其是演艺圈,光一个"星"字,就能引发闪闪亮亮、出入奢豪场所、穿着光鲜亮丽的想像,话题不断。杨惠姗头顶三座后冠,在演艺生涯最高峰时毅然割舍,正是"八卦新闻"最佳素材。加上她又不走其他隐退女明星的老路,或嫁入豪门;或经营餐馆、服装店,反而投身烈火里去搞什么琉璃,真叫人百思不得其解。

难怪不断有人反复问她这些问题:

"十几年水银灯下生涯,你毫不留恋吗?"

"从绚烂到平淡,会不会适应困难呢?"

"打不打算复出?"

放下新锐导演及影后的身段，两人决定将生活归零，当众人仍为他们深感惋惜之际，张毅与杨惠姗已全心投入琉璃新事业。

"有其他更轻松的事业，为什么选择琉璃？"

杨惠姗笑了，笑容中沁出一派清凉。

"不会，完全没有留恋，也没有适应问题。以前就不觉得自己是明星，演戏只是我的工作。一旦决定之后，我反而好兴奋、好期待，因为马上就要去学习新的事物、展开新的生活了。选择琉璃，要以我真实的人生全心投入，去演好这个角色，演得成功，一样能感动人！"

撞上灾星，黑道恐吓

比较起来，创业早期的盛名之累，好像蚊子乱飞，营营咿咿，徒增困扰但不伤筋动骨，而被黑道恐吓勒索的经历，才是长夜纠缠的噩梦，醒了还满身冷汗。

不过，除非是相当信任的人，他们从不轻易透露。

琉璃工房草创一年左右，同时盖淡水工作室，又在天母规划第一个艺廊，房子买好，开始装修，却莫名其妙撞上一颗灾星。

那天午后，电话铃响，拿起来，刚刚"喂"了一声，话筒那端一个男人压低嗓门，恶狠狠地不由分说："你是张毅喔？导演，导演有什么了不起，告诉你，这幢房子是我的，限你三天搬出去。"没回过神来，是不是恶作剧呀？

不久，冲进来一批壮汉，几个人把张毅架起来，逼他说出家里电话，再警告一次：三天期限！从此，大哥、小弟把骚扰当游戏，电话打过来，一开口就是骂一堆粗话。张毅甚至曾经被半夜三更"召"出去，"罚站"在中泰宾馆台阶上，被一把枪顶住太阳穴。

被搞得最歇斯底里的时候，他们请人来看过风水，有的说什么大门正对"路冲"，改一改方向可以去煞；也有的说要拜神、拜好兄弟，买香、买纸来烧，天天弄得屋子里腾云驾雾。两个公众人物，又是我在明、敌在暗，每天担惊受怕，伊于胡底？最后他们只得忍痛搬出天母，到美国去避了一阵子风头，对方才罢手。

从知识分子到生意人

张毅念书的时候，老师叫他"数学白痴"。当年创业，王侠军本来说只要投资 15 万元，3 年后变成 7500 万，乃至 11 年后的一亿四千万元，知道张毅这个绰号是怎么来的了吧！

可不是吗？如果当年他们把那几千万元存在银行里，光是领利息，就足以轻轻松松一世人，吃穿不愁，兴致大发还可以去环游世界好几趟呢！何况那几年正是"台湾钱淹脚目"的黄金时代，手上拿着这么大一笔钱，有很多投资，都可以一本万利。不久前，一位在股票界赫赫有名的大户朋友还调侃他们："当初把几千万交给我做股票，今天你们发死了！"

众人一窝蜂大玩"金钱游戏"的年头，他们没有服膺"人两脚、钱四脚"的经济规则，反其道而行，这个选择是对是错，留待时间检验。当初创业的七个人中间，"很不幸"没有任何一个财务专家，以致于他们不断丢钱进这个无底洞；可是也很"幸运"没有任何一个理财高手，否则早就劝这两个傻瓜收摊保本了！

辛苦，不怕；挫折，可以承受。设身处地，张毅最大的痛苦，恐怕要数从一个宁折不弯的知识分子，变成一个整日轧"三点半"、鞠躬哈腰的小生意人。(采访中谈到这里,张毅忽然咧嘴笑开,说要讲一个"笑话":"我以前拍电影的时候,真是'封闭'得可以,每次听人家提'三点半'都要纳闷半天,又不好意思问:为什么早不急、晚不急,偏要等到三点半才开始急?")

从信心满满开步走,到三年半满坑满室碎琉璃,一张张新台币像东去春水,转眼已经流掉 7500 万元。还要不要继续做下去呢?杨惠姗给张毅一个坚定的回答:"要!"开始抵押房子,自己的房子押了,押爸爸的房子,再押哥哥、姊姊的房子;抵押不够,干脆卖掉! 卖了钱还不够,四处去借!

有几个朋友还记得,那些年偶然见到他,过去高大倨傲的张毅,脸上难掩沧桑。种种磨难,使他有猛兽受伤的神情,不变的是那份倔强与自信。

"影后嘛来借钱"

张毅清楚记得一次羞辱的经验。

当然是和"调头寸"有关。

那几天,同时要进料、要付款,算一算又缺 60 万,抓破头皮,终于想到,好像还有最后一个希望——某一幢房子应该可以追加贷款。向银行好话说了三四天,口风终于有点松动，最后一天早上 9 点，银行门刚开，就看见张毅长长的、忐忑的身影。承办人员眼角一扫："杨惠姗怎么没有来？"赶紧打电话叫来惠姗，两人打通关似的一个单位、一个单位去商量、拜托；脸上勉强挤出微笑，语气尽量温文婉转。大厅里那么多人，都在交头接耳、指指点点，"影后嘛来借钱。"

到了午餐时间，银行方面总算答应借钱，还警告下不为例。填好单子，拿回存折，突然发现汇进帐户的数目短缺很多，眼看今天就要过不了关。硬着头皮再去问，回答竟然是，"为保障银行，先把应缴的利息扣下来……。"

现在琉璃工房上海厂协理王秀绢，跟随张毅多年，从一个南部来的小女孩，成为琉璃工房的骨干，可以说是这一页辛酸史的见证人、参与者。

她还记得，有一次，向银行借的一笔钱到期了，好不容易东挪西凑，奔去银行还钱。张毅、杨惠姗先到银行应付，等王秀绢送最后一笔款子来。眼见时钟滴答滴答，已经超过三点半，银行办事人员脸色奇"臭"，要不是看在他们以前还有点名气，才强忍下来，没打官腔。

愈等，这两个人心里愈七上八下，发生什么意外了吗？嘴里还一边安抚银行办事员，"可能是车子出了毛病。"听的人则做出一副"少来，你骗谁！"的表情。千钧一发，王秀绢气急败坏赶到，偏偏就那么巧，车子刚熄火，保险杆"哐啷!"一声掉下来。

脸色一阵青、一阵白，三人离开银行，暂时解除警报。

连老爷车也帮忙圆谎，还真是天可怜见呀!

那一天，铁汉柔情的张毅暗暗发誓，以后绝不再让惠姗抛头露脸、担惊受怕。

内外煎迫，无路可退

相爱多年，杨惠姗太清楚她的伴侣个性极为好强，但是为了琉璃工房，竟愿意如此委屈压抑。可以想象她心中那份疼惜。瞒着张毅，拿出电影明星时代买的钻戒、钻表，偷偷拜托姊姊去卖掉。隔天，姊姊气冲冲回来说，那个老板真可恶，向他买的时候满脸殷勤，现在想请他寄卖，完全又是另一副嘴脸，不但要抽佣金，又还要求保证书(杨惠姗买这些东西的时候，演艺事业如日中天，哪里想得到自己有一天必须把它们卖掉，当初根本没有索取保证书)。因此又花了一笔钱去鉴定，拿到保证书，结果依然卖不掉。

钱不断砸进去，却看不到一件成品;屋漏偏逢连夜雨，淡水工作室的兴建这时又出了问题 (房子已经盖到二楼,去申请接通水电,承办人员问:"建筑执照呢?"这几个"天才"竟然"不知道"盖房子要申请建筑执照;再进一步研究,又赫然发现,这幢房子还位于海防区域内,必须海防部队批准)。虽然后来在朋友多方帮忙奔走之下,问题终于一一解决,但至今张毅仍为自己的"幼稚无知"汗颜,也衷心感谢当时所有拉过他们一把的人。

回首前尘,也许只能用"内外煎迫,焦头烂额"来形容。

有一天半夜,他去找好友王行恭。

"我觉得我真的是有点疯了!"

"你现在才知道自己疯了呀!"

最焦虑的时候,张毅形容自己几乎头发全部掉光。"记得那段时间只要一提到钱的事,就敏感得不得了,瞳孔放大500倍。站也不是、坐也不是、撞墙也不是……每天晚上失眠,我不断告诉自己、要求自己,睡不着觉就已经先输了,每天训练自己,上床、睡觉,只要睡得着,就还有明天。"

不知是天作弄人,还是天考验人,经历过这一切,张毅也因此成熟、圆融许多,追忆过往,不疾不徐:"能想到的筹钱方式都想过了,最熬不下去的时候甚至还想,就这么放弃实在不甘心,就算去偷、去抢、去变成票据犯，只要能过了今天就好，只要过了今天就好！"坦白说，琉璃工房最惨的时候，天天都面临宣告倒闭的危机。"可是我们回想起来，没什么好抱怨的，没有人逼我们这样做，别人说我们毅力超绝，其实是无路可退，花了这么多钱买来的设备，如果不做下去，以前的投入等于零。"

撑到今日是奇迹

从现代企业经营的观点来看，琉璃工房能撑到今天，实在是个奇迹。

张毅、杨惠姗不懂得"集资"（全部都是自有资金）、"投资报酬率"（高额研发费用竟然不摊进成本），甚至可说完全没有财务观念。今天，琉璃工房虽然已渐趋稳定，但仍处于负债状况，每个月光是付银行利息，就超过新台币100万元。

身为老板，不拖欠员工薪水是对的，但不替自己留一毛钱，就未免太呆了。

有一天，他们从淡水回来，已经快半夜了，肚子饿得咕噜咕噜叫，看见路边有一家7-eveleven，两个人走进去，用塑胶袋装好两枚茶叶蛋，拿到柜台结账。张毅掏遍口袋，"糟了！没钱！"回头用眼神询问惠姗，惠姗轻轻地摇摇头。默默转过身，把茶叶蛋放回电锅，一言不发走出去。

很难想象，对不对？事实偏偏这么残酷。早年伙伴们甚至曾亲眼看见，到了中午用餐时间，他们身上钱不够，拉开一个个抽屉，搜寻有没有平常丢进去的硬币……。

老板做得这么"逊"，大概也只有这两个人了。伙伴看不过去，偷偷跑到自家艺廊去刷卡，"融资"给老板。

为了圆一个琉璃梦，张毅、杨惠姗可以说水里来、火里去，整个身心都熬炼过几回，"我们有太多时候可以溜掉，但我们没有，在美国的时候，朋友劝我们干脆移民算了，买一幢大房子，悠哉游哉，一辈子吃穿不愁，每天还有小松鼠来打招呼。老实说，看到人家那么舒适的生活环境，我们哪会完全不动心？但一想到从今以后连中文的报纸都没得看，后代子孙都不会说中文，就觉得背脊一阵冰凉。那应该不是我们想要的生活，所以我们回来了，想在有生之年为中国留下一些东西。"他们真的相信，不是有没有钱的问题，而是有没有决心的问题，只要有斗志，一定能生存下来。在他们心中，琉璃工房是否成功，不在于赚了多少钱，如果能为这个社会树立一种价值、一个典范，即使口袋里一无所有，也不影响心中的自豪。

亲人伙伴无条件支持

创业 11 年,有一群人始终守了他们 11 年。

房子卖掉 3 幢,抵押 6 幢,几乎是平均一年贴进一幢房子,尽管如此,杨家上自老父老母,下到哥哥、姊姊、嫂嫂,对惠姗都没有太多苛责。惟一的姊姊惠如很骄傲地吐露,这是杨家人的"优良传统",不要说是惠姗,其他任何兄弟姊妹有困难,他们都会无条件支持。

她记得有一段时间,常接到妹妹的电话,请她到银行帮忙作保,她一不问向银行借多少钱;二不干涉这笔钱的用途,带上私章、身份证,立刻赶去解围。其他家人也是如此。"我们不帮她,谁帮她呢?种种支持、关心,都不需要经过太多讨论,完全是基于亲情。"直爽开朗的惠如姊姊说。

从小,惠姗就有"想要的绝不放弃"的个性,家人只知道惠姗这条路走得坎坷,但都不太明白"中国琉璃"是怎么一回事,只能在一旁默默鼓励她,甚至不敢太关心,以免给她无形的压力。

对于家人这样毫无条件的付出,张毅、杨惠姗也曾害怕会把家人都拖累下去。"我总不能让爸爸、妈妈卷铺盖去睡马路吧!"光是这一点,就足以刺激他们只许成

对琉璃工房一路支持的杨惠姗一家人。

功、不许失败的决心。

事实上，从决定投身琉璃艺术那一天起，他们俩人已是"过河卒子"，背负的不但是家人期望，还有众多年轻伙伴的前途。

家人无条件支持，自有一份血浓于水的亲情，倒也顺理成章；不解的是有些伙伴一头栽进来，不问为什么；不问明天会如何，胼手胝足共同打拚了这么多年。张毅、杨惠姗这两个人所编织、追求的梦，他们跟着起劲儿什么？最早七个伙伴之一的张大洲，觉得这个问题问得很奇怪，因为从拍电影的时候起，张毅就是他们信任的张导演，"他说的一定没错，"何况无论在外面遭遇多少挫折、屈辱，回来都不会转嫁到伙伴身上，像一只

永远张开双翅,为他们挡风遮雨的老母鸡。

身如琉璃,内外明澈

凭良心说,除了本身奋战不懈,琉璃工房的发展,也含着机运成分,即所谓"无公疼憨人",或是"天助自助者"吧!

一次喝茶闲聊间,叉起一小块甜点,送到嘴边,张毅忽然想起一个带着"灵异"气氛的故事。

话说琉璃工房开始头几年,真的是很"衰":成品遥遥无望,财务屡陷谷底,信心指数顺坡下滑,跌至冰点。未来何去何从呢? 突然,老天爷好像接收到他们的求救信号,派来一个信差,前程如逢桃源路,再现光明。

张毅清楚记得,某天,一位从前广告公司的同事,忽然打电话来,约他"出去聊聊"。真奇怪,当年两个交情泛泛,这位老兄10几年来又从不联络,到底卖什么关子? 好奇心陡地升起,决定赴这个神秘约会。

约在太平洋百货公司的咖啡厅见面。

两人寒暄问候,分别坐定,那位老兄开始娓娓而谈,大多是有关他近几年学佛、坐禅、修持的经验。忽然话锋一转,问道:

"张毅,听说你现在在做琉璃呀?"

作品《第二大愿》

"对!"

"你知道琉璃在佛教里面的意义吗?"

"这个……"

"晓不晓得琉璃是佛教七宝之一?"

"什么七宝?"

"没关系,有一本《药师琉璃光如来本愿经》,你回去以后可以研究研究。"

张毅承认，见面前抱着谜团；分手之后，更加一头雾水，因为自己过去完全没有佛教背景，实在很难捕捉他话里的涵义。

而杨惠姗是从小受洗的天主教徒（受母亲影响，圣名玛丽亚），当然也不可能接触佛教。但既然朋友这么说，翻一翻这个"药师经"应该没什么坏处吧？

一页页、一行行，从浑沌到清晰，他们震动、惊异，仿佛看见黑夜尽头，一盏指引方向的明灯。忽然眼前跃现"第二大愿"——

愿我来世，得菩提时，
身如琉璃，内外明澈，
净无瑕秽。

霎那间虚空粉碎，物我尽脱，原来踏破铁鞋、苦心孤诣的，就是此种境界呀！

"《药师经》的出现，是在我们极度绝望、无助、挫折的状况下，一种突然涌发的鼓舞力量，也为我们过去的、现在的，以及未来的坚持、努力找到了一个合理解释、说法。"张毅屏气凝神，尽量搜寻贴切言语传达他们当时的心情。

故事说完，听的人意犹未尽，打破砂锅问到底：后来你那位神秘的同事,或者该说那位老天爷的信差呢?

这个故事"灵异"之处就在于,那天之后,此人如黄鹤一去无踪迹,至今再没现身过。

种善因,得善果

与佛有缘,好像有点太玄;不过老祖宗说的"好心有好报"绝对错不了。

他们倒真经历过一件"种善因,得善果"的事。

杨惠姗说起这件事的来龙去脉,也很有领悟。有一次,琉璃工房需要一笔上百万的款子,能借的、能卖的、能押的,十八般武艺全使出来了,还是没有办法筹齐。忽然福至心灵,姑且一试,往美国打了一通长途电话,结果"天上掉下来"一笔钱,"PASS!",安全过关。

原来是许多年前,一个朋友到美国创业,开发电脑软件,由于资金不足,情商他们投资一部分。当时手头还算宽裕,很"阿沙力"的助朋友一臂之力。朋友成立了公司,虽然有一段时间,听说经营得很吃力,他们也没有追究、干涉过。那一次,自己实在走投无路,从记忆库里搜索出这段往事,一通电话,含蓄地探询。没想到那家公司这几年搞得有声有色。朋友也够义气,立刻结算当年的投资,连本金带红利,第二天就电汇到账户。

王侠军另立"琉园"

琉璃工房 11 年创业历程,技术障碍、财务艰困,屡败屡战,惊险不断。但在所有危机中,最重大的冲击应该是王侠军结束与琉璃工房的合作关系,另外成立"琉园"。

张毅、杨惠姗、王侠军曾是电影"铁三角",两个男人的情谊可以追溯到 20 年前,他们是世新读书时的同窗关系。张毅当电影导演,王侠军一直是固定搭配的美术指导;电影《我的爱》中,甚至让王侠军由幕后到幕前,当上了男主角。

杨惠姗、张毅退出电影圈,打算开拓另一片天空时,是王侠军触动他们走进琉璃世界的心弦,经过张、杨、王三人的努力,琉璃工房终于稍有基础。但就在1993 年,琉璃工房作品于北京故宫博物院展出期间,王侠军离开琉璃工房,另起炉灶,打破琉璃工房是台湾"唯一"琉璃艺术团体的局面。

王侠军在北投自立门户,陆续又有 14 名主要干部离开,使琉璃工房严重失血,一时风雨飘摇。王侠军接着召开记者会,并寄出存证信函给琉璃工房,主张拥有某些作品的智慧财产权,要求琉璃工房不得再制造贩卖。

不久之后，王侠军的"琉园"在远企百货一楼设立专柜，而琉璃工房原本就在同一幢大楼的四楼设有艺廊。短兵相接，竞争趋近白热化。

为什么？是什么原因打破了铁三角？

在《柳暗花明——王侠军水晶玻璃传奇》一书中，为王侠军的离开作了如下解释："经营理念与方式分歧所带来的压力和不安，……因此有了挥别的念头。"

看到他们从合到分，很多人表示惋惜，这似乎又印证了中国人可以一起夺江山，不能一起坐江山的通病。

个性刚直，又特别看重友情的张毅，怎么也想不到，竟必须跟 20 年交情的朋友、伙伴打对台，内心十分痛苦。在王侠军公开宣布决裂，态度毫不留情之后，伙伴们、朋友们都催促他，是不是也应该出面对抗。

但是，张毅、杨惠姗好生挣扎。

难道真的要把这份友情撕碎扯烂吗？

难道非要让社会看到他们互相攻击吗？

难道责备泄愤真的可以让真相大白吗？

就在这个时候，一位对张毅、杨惠姗十分照顾、旅居日本的伯母不请自来，并且说了一个自己亲身经历的故事：

"我年轻的时候跟丈夫一起到日本打天下,有一天,一位老同乡要我作保,帮他向银行借钱,我碍于人情只好答应。没想到不久之后,这个同乡跑掉了,银行找上我还钱,我一方面害怕先生责怪我,想逃避;一方面又觉得自己该向银行负起责任。就在银行要我去解决问题的前一晚,我虔诚地拿出圣经,一翻就翻到'听凭主怒'这四个字,心中顿时清明,知道自己该怎么做。第二天到银行,我说我愿意负起责任,替朋友还钱,但是要求银行让我分期付款,银行答应了,我也很守信用的按时还钱。"

几年后,东京建造地下铁,市中心表参道交叉口附

每一位伙伴都是琉璃工房的幕后英雄。

近,几乎都是经营照相馆的店面,这些生意人因为受不了工程中的震动,纷纷搬迁到别处去。这位伯母看准商机,打算接手,于是向银行贷款。银行因为她过去还款的信用良好,慨然贷款给她。如今那块地上盖了东京最高级的办公楼,寸土寸金,俨然东京地王。

她说,如果不是当初决定"听凭主怒",就不会有如此圆满结局。

杨惠姗、张毅听了深受感动,秉持"君子绝交不出恶言"的原则,不理会一切流言,接受所有打击,埋头工作。一年后,员工又恢复到六七十人,经过危机中的相互扶持,伙伴之间更加团结,感情比以前更紧密。从1993年到现在,这件事已经尘埃落定,对琉璃工房而言,就算是成长的阵痛吧!

真正的创业英雄

许多一路看着琉璃工房走过来的人,都替他们高兴,毕竟,真不容易呀!

《民生报》记者赖素铃记得,当年去琉璃工房,开饭的时候只有两桌,现在桌子都已经摆到走廊上去了,发展速度惊人。"大家长"张毅、杨惠姗常说,无论人多人少,今天这一切,不是任何一个人单独完成的,虽然由他们两个对外代表琉璃工房，但这个"孩子"是由父母、家人、朋友，用支持、爱心共同哺育的。加上每一位休戚与共、亲逾手足的伙伴，他们才是真正的创业英雄。

第二部

无垠追求

思考，云，是吉祥，真正的意义，
思考，心，像云，就是福，真正的意义。
中国曾经的智慧，今天应该有新的注解。

第七章

今生相随
——杨惠姗、张毅与琉璃工房

台湾的天空很琉璃

任乾坤、任八方。天地我自邀游。

观想浩然，心念寰宇，升起一锦绣
之象。

正反、表里，都是人中龙。

——大器天成

閉上眼睛,且让想象的翅膀飞翔:

有什么东西可以透明,可以不透明;或纯净,或有气泡在其间呼吸;或像璀璨的优伶,美得令人屏息;或像凝固的历史,静谧安详。它好像存在,又好像不存在,忽光忽影、似静似动。此时可能晶莹夺目;转眼又可能粉碎、不值分文。

是的,琉璃;一个热度日益升高的话题。

馈赠交谊的新选择

古代皇帝常赏赐臣子玉器、瓷器或名画古玩;台湾早年多半以仿制的故宫书画、青铜器或珊瑚、台湾玉等,作为馈赠外宾的礼物。近年来上层人物出访钟情哪类赠品呢?答案是琉璃艺术品,而琉璃工房的作品更成为社会名流凸显文化品味与艺术素养的象征。

海峡两岸交流基金会董事长辜振甫代表中国台北,参加在菲律宾举行的亚太经合会议(APEC),所带去的礼物,便是请琉璃工房设计的"礼运大同篇"琉璃纸镇。香港回归,辜振甫送给第一任特首董建华的礼物,也是出自杨惠姗之手的一头琉璃牛。1998年汪辜会谈,更再一次以琉璃工房作品相赠,赠给汪道涵"南瓜思考"。

汪辜会谈,辜振甫送给汪道涵的作品"南瓜思考"。

据琉璃工房行销部估计,目前全世界大概已有 22 国的元首,领袖拥有琉璃工房制作的礼品。

在企业界,近年也流行以琉璃艺术品馈赠客户或员工,像花旗银行一买就是一二千件同款造型的作品。其他如神通、宏棋、英业达等知名电脑公司及大陆工程公司等,也都是琉璃工房的"知音"。

艺术界人士对琉璃工房也不陌生。两年前的"全球十大华语影星"奖座,特别请琉璃工房艺术总监杨惠姗亲自设计,她塑造了一匹奔腾金马,从水花激越中跃出,象征表演工作者需要瞬间爆发力,更需要动感的想象天空。杨惠姗曾经拿过两座金马奖,演艺界都公认她是设计这项奖座的最佳人选。1998 年，亚太影展、时报广告金像奖、国际纪录片双年展，也纷纷请杨惠姗设计奖座。

在一般社会人士中，近年来也慢慢形成消费、收藏人口。大件作品已拥有固定青睐者，至于小件作品，有的人买来自己品玩，有的人则送给朋友，都很受新生代白领欢迎。

至于佛像类作品，经常由信仰佛教人士请回去摆设或供奉。

国民交往新驿站

琉璃工房行销部的资料显示计，客户中有 79% 为送礼，21% 为自己收藏。主要客户分为团体及个人两大类，其中政府机关、企业团体用做"公关"送礼的最多，偏好中国风格、寓意讨喜的作品，如文镇类、器皿类、樽鼎类。在个人客户方面，多半为 30 岁到 50 岁左右的中产阶级，女性偏爱项坠系列、自然类、生活系列；男性偏爱中国风格的樽鼎类、文镇类。

至于价位方面，有 50% 属于一般性赠礼或摆饰，平均单价在新台币 2 万元以下；40% 左右的人喜欢创意独具的大型作品，价位从新台币 5 万到 100 万元之间；

香港癌症基金会义卖60件作品争购一空。

还有10%的人锁定选购佛像类作品，推测和他们的宗教信仰有关。

稳占台湾第一品牌的龙头地位之后，海外市场也在审慎评估后开展。

1996年，在香港一年一度的"癌症基金会"（Cancer Fundation）慈善募款活动中，社会名流如杨紫琼、徐展堂、何鸿荣、邓永锵等共襄盛举，琉璃工房提供的60件作品被争购一空。

翌年，由香港最高档的英资百货公司"连卡佛"代理（共四个点），稳健进驻。据该公司太古广场分店经理阮菊英表示，顾客对此反应极佳，"由于过去绝大多数水晶制品来自西方，并不适合送给外国人；顾客若想购买蕴含中国风味的工艺礼品，只能到国货公司，选一些传统陶瓷、玉石翡翠，琉璃工房的作品令人耳目一新、中外皆宜。"一位专柜售货小姐现身说法，琉璃工房的作品常象征中国传统的吉祥如意、福禄寿等寓意，收受礼双方都能博得好彩头。例如一件由两个金黄色柿子组合的作品"好事连连"，才刚运到三个就卖掉了两个。更有趣的是，香港人购买的时候，如果作品编号中带有"八"(音似"发")的，特别热门抢手。

负责采购政府礼品的一位官员表示，价位固然要考虑，礼品的意境与内涵更重要，而琉璃工房作品浓烈的历史感，一望即知的中国风格都很有说服力。

他也指出，过去各部会接待国外贵宾，以外双溪故宫博物院为第一站，但随着与国外的往来频繁，宾客们兴趣各异，如何寻找比较有新鲜感、又能代表今日今时台湾的参观地点，的确大伤脑筋。近几年，风格鲜明、又有丰富感情流动的琉璃工房，使他们的接待工作轻松许多。

据琉璃工房内部统计，目前一年平均要接待数十个国外团体，不久前造访的还有大陆文化人士交流访问团等。琉璃工房其实只是一个民间团体，没有义务"出公差"，但年复一年，对相关部门提出的要求，都竭诚配合。甚至张毅、杨惠姗在国外旅行、洽公，也都尽量赶回来亲自接待。

执着让琉璃变得温暖

　　再进一步探询，琉璃艺术品崛起，与台湾社会发展的关系如何?消费者心理有无脉络可寻?

　　资深广告人、泛太国际公司执行顾问孙大伟，从市场行销的观点分析说，中国乃礼仪之邦，一向注重礼尚往来，随着经济发展，从早年送月饼、水果；洋酒、香烟；到后来流行送咖啡、茗茶，乃至红酒。趋势走向为由实用、稀有、名贵，到讲究精致和品味。而琉璃工房的作品的确"够格"，既能凸显送礼者的慧眼，也暗示着受礼者的"位阶"。

　　还有一些人虽然对琉璃作品的创作理念、艺术价值不甚了解，但因为杨惠姗、张毅的知名度；加上从电影转行，全副身心投入烈火熬炼的传奇("差堪比拟古时候舍身炼剑的干将、莫邪夫妇"，孙大伟式形容)，一点一滴渗透、渲染，形成微妙吸引力。"动人的人，加上动人的故事，可以满足一些人心理上、情感上，想与之呼应，或想借机表达自我的需求。"也许是价值观的认同；也许是自我情感投射，但不可否认，琉璃工房作品的意义已经超越材质本身，"琉璃其实蛮冰冷的，是他们的执着让琉璃变得温暖。"

另外，市场嗅觉敏锐的他发现，琉璃工房还有一大特点，从来不做广告。因为有些产品今天打广告（刺激），明天就有立即销售(反应)，而现在购买琉璃工房产品的人，很可能是 10 年前听过一个故事，或 5 年前看到一则新闻，酝酿了很久、很久，心理上经过一段不自觉的"潜流"，最后才采取了购买行为。"但只要他们(琉璃工房)坚持原来的所作所为，成果自然就会慢慢显现。"孙大伟有感发自内心。

《时尚》杂志发行人刘炳森有同样观察，现代社会中太多人浑浑噩噩，找不到努力的方向，就算找到了，又缺乏终身投入的勇气。看到张毅、杨惠姗对琉璃的承诺，那么坚贞、那么敬业、那么执着，买了琉璃工房的作品，好像自己的人生也跟着厚重、美善了起来。"这种移情作用，使许多人在欣赏、把玩或收藏他们的琉璃作品时，有了共同语言。"

为什么人们喜欢琉璃工房的作品？

几次随机访问在琉璃工房各个艺廊参观的顾客，答案不一而足：

"真的很漂亮，以前没看过。"

"我就是要买正牌，不要副牌。"

"买琉璃工房的东西，代表一定的艺术眼光和品味。"

台湾琉璃市场先行者

毋庸置疑，在台湾，琉璃艺术品、礼品的市场，是由琉璃工房一手开创；甚至，"琉璃工房"已经成为一个"专有名词"，讲到琉璃，就等于琉璃工房。

不过，因为材质陌生、表现形式前所未见，11年来，他们除了致力于技术、创意的提升，更花费大量心血与社会交流、沟通。例如，很多人劈头诘问："天然水晶和人造水晶"有什么差别(前者有磁场，可以改运、治病，后者也有这种功能吗?)水晶"应该"晶莹剔透，但为什么琉璃工房的作品有些不透明? 原料成分是什么、琉璃材质的特征、脱蜡铸造法的过程、气泡是不是瑕疵⋯⋯凡此，都必须不厌其烦地再三解释、说明。

甚至不由分说，用"二分法"来评断：琉璃工房做的只是产品，不是艺术品。乍听，好像言之有理，却不免带着"看人挑担不吃力"的风凉意味。

回溯琉璃工房发展，最初恰可好比一个从石缝中蹦出来的孙悟空，在人皆不知、不解、不惜的孤独中，挣扎成长。基于"生存第一"，当然必须先有产品，用简单、普及、大众化的面貌，增加接触、了解、购买的机会；当社会逐渐熟悉、欣赏，大件艺术品才有立足点。如果一开始就坚持做大件艺术品，大众看不懂也买不起，这个团体必然与社会疏离，终至萎缩死亡。

琉璃工房的短、长期策略是，肯定产品有产品的功能，艺术品有艺术品的价值；先以产品支持艺术品，再以艺术品带动产品。如同张毅所经常引用美国著名导演摄影家艾维顿（Richard Avedon）的名言："要做艺术家，更要做后院有游泳池的艺术家。"

限量生产的由来

一方粗砺荒田，翻土、拔草、播种、灌溉、耕耘，琉璃工房经过 11 年努力，终于冒现浓浓绿意，连吹拂过田间的风，都饱含丰收喜悦。然而，这样的成绩并未使他们迷眩、黏着，仍然不断挖掘自身潜能，形塑出极为鲜明的经营理念。

琉璃工房既身为企业，就不能忽略市场评估，目前所采取的定价策略，背后自有一套逻辑。先针对每个作品、每个程序的困难度订定指数，计算出总指数，再换算成个别单价，而后以总投资额除以每件作品的单价，得出生产件数。这就是"限量生产"的由来——琉璃工房运作机制的一大特征。

所谓限量生产是指，每件作品上市之前早已决定生产数量，到达预定数量之后就销毁铸模，不再生产；并且在每件作品底部刻上总数量及该件作品的序号。

"限量生产的观念，就像给自己套上一个紧箍咒，避免某一项作品轻松热销之后，我们便

代表作"金佛手"蒙北京故宫博物院收藏。

怠惰偷懒。唯有作品限量，才能刺激、催促设计者不断构思、创造。限量政策的"始作俑者"张毅解释："我们不希望自己后来变成一个工厂，限量，在要求自我的意义，大于市场增值、促销的意义。"

限量生产策略使产品先天上就具有增值潜力，琉璃工房并采取四阶段调价，逐步调涨 25%，"捷足先买"的顾客不但讨了便宜，增值幅度亦可预见。甚至有某些特定收藏者，专门收购已绝版的作品，就是看"多"增值空间，有投资价值。例如杨惠姗的大型代表作"金佛手"，总共只做了 12 件，1997 年已经绝版。其中一件被北京故宫博物院收藏，现在已增值到新台币 160 万元。

作品说明, 张毅心语

张毅领导琉璃工房, "金点子"源源不绝, "作品说明"也是他的重要"发明"之一。

欣赏琉璃工房作品, 细节精巧美致, 整体恢弘厚实, 赞叹、感动可能是初始反应; 当目光寸寸下移, 撇见一方淡象牙色、滚着内敛金边的小纸牌, 安静地伫立一旁, 或深沉、或幽默、或启发、或对话, 含蓄着墨, 涵蕴丰实、文风洗练, 言简意赅地传达创作初衷。此时, 大脑皮质深处的情绪、共鸣, 不禁被丝丝缕缕抽剥诱发、勾动冒涌。

作品说明, 张毅手笔, 张毅心语。

这些年来, 因为作品说明而心有戚戚焉, 甚至冲着作品说明才起心动念购买的顾客所在多有。

例如: 张毅曾为一件名为《大声合唱一首歌》的作品写过一段说明(第二稿):

对有些人来说: 一人一把号, 各吹各的调,

对有些人来说, 认同的方向定义混淆,

短期内步调无法取得共识。

对荷叶上的青蛙来说: 大声合唱一首歌。

作品甫上市，立刻拨动海峡交流基金会的"政治神经"，一口气买下 25 件。

张毅不讳言，"创见"也曾遭到抨击，主张艺术品观赏者自有体悟心得，文字说明纯属多余。

对或不对，由人说：择善固执，便不再挂碍。

桌面如镜，一叠便笺伴着一支钢笔，张毅口气不愠不火，缓缓回应：作品说明本质极单纯，一方面辅助欣赏琉璃艺术；一方面希望经过时间淘洗，创作者的原情本意能多多少少被保留。

几年下来，琉璃工房作品说明从中文到中英对照，打动不同文化语言背景的爱好者，岛内另一品牌"琉园"从善如流，连许多国外著名水晶作品进军台湾市场，也"移植"作品说明的理念。

打一场整体战

琉璃艺术品是个年轻、可塑性极强的产业，与社会的每一次互动，都至为关键，在行销概念、策略上，必须打一场整体战。因此，不论全省直营艺廊或百货公司门市，琉璃工房作品的销售全部亲力亲为。从应对、接待、作品解说，到陈设、包装，对每一位行销人员都严格训练、高标要求。"顾客买的不是'玻璃'这种材质,而是一种精神、一种信息、一种情感。"张毅对此非常重视,绝不妥协。

与一般消费迥异,艺术品爱好者通常都不会"冲动性购买",过程中需要专业协助,含括复杂制作工序、企业文化;每一件作品的创作动机、寓意,以及和现代生活之间的联系,都必须提供清晰完整的解说。

为了充实伙伴们的内涵,琉璃工房聘请专人收集、消化世界各国玻璃工艺发展资讯,研究各国设计师的创作。淡水工作室三楼,特辟一间开放式图书馆,收藏了与艺术、文化、哲学相关的数百种书籍。这项成本委实不低,张毅、杨惠姗却眉头也不皱的负担了多年,因为他们相信,惟有丰富充盈的 input,才能有鲜活灵动的output。

独特的包装美学

浸淫美的世界,在张毅、杨惠姗领导下,连包装都有独特一套。

现代社会中,精心刻意的包装已成为礼品的一部分,在彬彬有礼的社交场合,人们拿出包装精美的礼品,本身就是情感及敬意的表现。对授受双方而言,这不仅是一个优雅精致的礼物，更表现对二者之间学识、品味、鉴赏能力的肯定与尊崇。

琉璃工房为体现"环保概念"，全部采用纸包装，包括内层的棉纸，外层的纸盒，以及方便携带的纸袋；设计上则一以贯之"中国风"，正红色代表欢庆吉祥，印有喜(喜鹊)上眉(梅花)梢图案，讨得好口彩。配上暗金色缎带，华丽辉煌。

杨惠姗重视包装，自有一番道理。没有人比她更清楚，每一件琉璃作品，都经过日以继夜的呕心沥血，各个环节如履薄冰，如果包装马马虎虎，造成毁伤，等于前功尽弃。

另外，"以往台湾的商品在包装上真的不够用心，很多人觉得不重要；或是怕增加成本，结果就好像让一个绝色美女穿得衣衫褴褛。而且从看到东西的第一眼，别人已经开始打分数了。"处女座、完美主义的杨惠姗，希望琉璃工房的作品无论在哪种场合，从内到外，都有百分之百的说服力。"只有这样内外同样精致，才能扭转国际社会过去对'Made in Taiwan'的恶劣印象。"她爱看每一个人乍见琉璃工房包装时的惊喜，拆开包装后，喜悦更到达高潮。

所谓海内自有知音者，有些顾客就是"甲意"喜气洋洋的包装，指定购买，还想把"好东西与好朋友分享"，主

今生相随——杨惠姗、张毅与琉璃工房

174

动宣传介绍,"回头率"高,口碑远播。

只是外界很难想象,以一件最起码的小作品而言,琉璃工房花在包装上的成本,约占总成本的30%。朋友善意相劝,如果能降个10%,对营运会有相当大帮助。然而,琉璃工房只要最好的,不轻易降格以求。

琉璃工房行销部协理张刚简单扼要总结,他们销售的每一件产品其实都包含着三个构成元素:创意、作品说明、超人气的服务。尤其最后一项,更是顾客忠诚度这么高的原因。他记得曾有一位客户曾预定一尊观音,但连续烧了三次,都过不了自己内部品检那一关。不知情的客户本来很不谅解,张刚亲自开车把三尊略有瑕疵的观音带去给客户看,并且解释延迟交货的原因,保证再烧一尊完美的观音,让这位客户非常感动。

寻求社会大众支持

谈到未来发展,张毅坦承自己原本对管理企业"零概念",全赖尝试错误、自学摸索,才略有心得。很多人都为琉璃工房着急:为什么不找专业人士来经营?为什么不争取外界投资?张毅回答:"我们鼓励自己,作品要愈来愈人性,经营要愈来愈专业。虽然自己财力有限,但迟迟不敢接受别人的投资,是因琉璃工房早期承担了整个产业研究开发的成本，而这个成本之高，到现在都还没有办法完全摊进各项作品的成本中。投资者关心的是投资报酬率，只须拨拨算盘，恐怕就鸣金收兵了。至于那些愿意'友情赞助'的朋友，我们也不忍心把研发成本转嫁给他们负担。寻求社会大众的支持反倒比较可能，琉璃工房没有库存是我们很安慰的，任何人买了我们的作品，都是对琉璃工房的一种投资。"

回首来时路，是社会的关爱使张毅、杨惠姗不畏迢迢、吞咽艰辛；何以报答？发心许愿："中国琉璃的事，一辈子不改变！"

杨惠姗的创作旅程

学习无捷径，惟用心而已矣。

十年琉璃路，杨惠姗走得步步用心。

众所周知，杨惠姗从影艺圈转行琉璃创作，之前既没有学校训练，更缺乏实战经验，因为不是美术专业"科班"出身，有人强烈质疑她的创作能力。

但曾任教东海大学美术系的王行恭驳斥得妙："对，她不是科班出身，她是黑手出身。"

如同美术系毕业的《民生报》记者赖素铃所说，就算读大学美术系，也不过4年，而杨惠姗10年来，一天24

小时,一星期 7 天,心心念念,废寝忘食,早不是一纸文
凭所能道尽。

古贤有云:勤能捕拙,今天,她的成就绝对可以经
得起专业检验。

"我最难以自拔的是,拿一团没有生命的泥土,用
我的手,用我的情感,去捕捉生命的感觉。像进入一个
又黑又长的隧道,但我并不害怕,知道前面有光,一直
走总会走得出去。当我抓到那个感觉,快乐难以言喻,
这种快乐成为下一次创作之旅动力的来源。"

"一个好的雕塑工作者,除了技法纯熟、精确,最重
要的特质是兴趣,喔! 应该说是狂热。有时候我甚至很
怕自己技巧太好了,就会变得很'匠气',太熟练容易使
作品僵化、样板。"杨惠姗音量不高,却声声铿锵。

对很多材质来说,雕塑这个部分完成,就已经是完
成了,但琉璃不然,这仅是第一步,她必须不断告诉自
己:要有心理准备,后面过程中还有劫难重重。从这一
端到另一端,时间之河有时涓滴细流,有时暗涛汹涌,
要很能承受,很有担当。

"也许工艺美术的性质本身就不那么冲动;也许我
的个性使然,整个学习是渐进的、累积的,碰到挫折觉
得理所当然,因为那是学习的代价;如果成功,也不必
开心得太早,只不过是阶段性的。更何况这一次成功的

经验，下一次未必适用。"

很难避免，成品和原创会有些出入，但也可能比原创更好。想象在琉璃工房里住着一群蓝色小精灵，等全部的人都离开了、睡着了，他们轻轻悄悄地飞出来，魔棒一点，这里洒些银粉，那里念段咒语：颜色、透明度、流动、折射、气泡，千变万化，每一次都可能是第一次。

质朴的原创力

艺术或许是见仁见智的，但首先必须通过自己。

因为非科班出身，杨惠姗反而不受门户、流派局限，可以表现出质朴的原创力。

"我不会预设立场，揣测别人看了会怎么想，心中自有一把尺。我不太在乎别人怎么看，因为最后的裁判是自己。就像以前拍电影，明明自己演的不好，别人都说好，我不会沾沾自喜；如果我自己觉得还可以，别人说不好，我也不会耿耿于怀。"

"关键是怎么教育自己，提升自己，大量接触、阅读、和人讨论、看好的作品。无论在技术上、品味上、思想表达上，不断自我超越。"

每到一个城市，杨惠姗最不能错过的"节目"就是参观博物馆、美术馆。1998 年 4 月在伦敦，维多利亚·

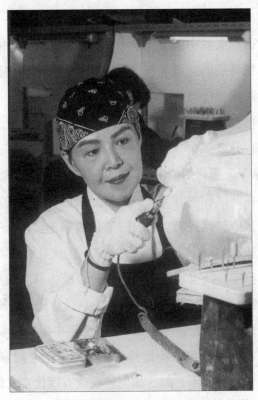

非科班出身的杨惠姗表现出质朴的原创力。

亚伯特博物馆(Victoria & Albert Museum)展出期间,她和张毅抓紧空档去泰特美术馆(Tate Gallery)参观。在一座座雕塑前流连徘徊,神情专注,像个孩子。当发现心仪已久的窦加 (Edgar Degas) 著名雕塑"芭蕾舞女"(安妮像),她那份激动、兴奋,恨不能和所有人分享。"他怎能把人的情感表现得那么精准又细致。希望自己有一天也能随心所欲拿捏住这种情感。"

而回头对中国文化学习，培养历史的关照能力，是杨惠姗持续的功课。根源于民族血脉，运用中国符号，放入现代设计理念之中，表现出新的创意。

可想而知，在这个领域，没有任何"公式"、"套路"——百分之多少"中国"，配百分之多少"现代"；等于什么"结果"、哪种"风格"。完全要靠自己摸索和思考。

在此过程中，产生一些是鞭策、也是批评的声音。

其中包括：杨惠姗的作品"仿古多于创新"。对这样的说法，她从不回避："我们有丰富的文化，这是全中国人的珍宝，我没理由不要。现阶段模仿是非常重要的，因为我对中国文化知道得太少，不只是我，许多人和我一样，对古老的辉煌所知不多，无形中形成断裂，我想试着对这些断裂做些修补。然而光是把老祖宗的本领拣起来已经很不容易，如何转换成有现代意义的创作，更是很大挑战。这个重新学习的过程不能光靠我一个人，希望我的工作能唤醒对中国文化的觉醒。"

"别人说我临摹也好，抄袭也好，我一点也不挂怀，因为这是必经历程。任何学习都非一蹴而就，比如高明的书法大家，别看他现在一笔狂草，行云流水，意兴风发，当年一定也是按部就班从临帖开始，功力养深积厚，才能水到渠成。"

她以早期临摹汉俑、唐俑说明：乍看觉得不过就那么几根简单的线条，有什么大不了；但临摹了好几个月，就是抓不到那个感觉。最后渐渐醒悟，别看表面简单，其实所有的结构、神韵都已涵蕴其中。眉眼之间，微微一挑，散发卓越风姿。"没有几十年的练习做不到这个境界。"愈是炉火纯青，愈能反璞归真。

敦煌归来，再上层楼

杨惠姗自己正经历这样的洗礼。

近年来，无论艺术专业人士，或一般收藏者，已经发觉到她作品上的改变。尤其在佛像作品上。

忆及过往，她一开始雕塑佛像，只能先求外形的相似，包括比例精准、结构完整，以及细节上的表现。靠着不停感受、用心揣摩、大量练习，一块块泥土，化身成为一尊尊佛菩萨。一再钻研其中，杨惠姗身心产生极大转变，内心深处对自己期许更深；对佛的面貌、佛的神韵、佛的精神内涵，有了主观诠释。

而 1996 年的敦煌之旅，更使她有临界点的突破、进步。一直为琉璃工房作品担任拍摄工作的吕承祚观察到，敦煌归来，杨惠姗的佛像更加柔软、放松，恰如鸣沙山起伏跌宕、线条若有似无；不再局限外型，更强调情

敦煌归来,使杨惠姗作品有临界点的突破。

感的传达,给人一种很放下、很自在的感染。

　　若以佛家语相应,应该是进入"不着相"、"法无定法"的境界了。

　　整体来说,在敦煌之后,杨惠姗的创作观念既深化、也扩大了。从单尊的、中规中矩的佛像,进入时空呼应的思考,包括佛与佛、人与佛的关系,重重叠叠、无穷无尽的延伸、感动,表现在《人间八千亿万佛》、《亿万年敦煌》、《天地之间》等大型作品之中。

　　心境快意驰骋之后,以前被视为瑕疵,想方设法避免的气泡,脱胎成为流动的语汇、令人惊喜的元素,更让佛像充满了活泼生命力。

　　"有一段时间,我几乎天天在做佛像,用手、用眼、用心去触摸、感受，所有书面资料背得滚瓜烂熟，四处佛像也算看得不少，但敦煌对我是一次震撼教育。从月牙泉、鸣沙山，到礼拜在窟窟相连、浩瀚无际、跨越千年的诸佛菩萨面前，那种心悸憾动，既如同远方游子近乡情怯，又惟恐自己脚步重了，会惊醒千佛……"

敦煌激发灵感作品《天地之间》。1998 年北京故宫收藏。

敦煌归来，杨惠姗仿佛在尘劳浑沌中拣回一颗自性明珠，新的创作构想源源涌出，1998 年再度挑战极限，推出十几件超大型作品，例如《无言之美》、《大业成就》、《大放光明》。虽然平均每件耗时半年以上，失败率高达 80%，似乎又重演草创时期的挫折与摸索，但她追求的是创作本质的飞跃，以及作品人文价值的发散，心境与当年截然不同。

三个 10 年

第一个 10 年,80% 学习,20% 创作。

第二个 10 年,50% 学习,50% 创作。

第三个 10 年,20% 学习,80% 创作。

跨越第一个十年，琉璃工房在制作技术方面已然奠基，杨惠姗光华璀璨的作品里，看不到火焰熊熊燃烧，热度冷却,凝结为心通透的晶体。第二个十年,在人文思考上、造型、内涵上正搭建新的里程碑。

未来，她将以《善念为修》、《向善修持》作为中心思想，不只表现在佛像创作上，更贯穿其它所有作品。

人会因岁月而苍老，事会因异动而变迁，十年功夫终究酝酿成甘露醍醐。经过十年自觉的学习，杨惠姗对自己艺术生命已有定见，不但创作理念体系水落石出，也愈见国际级大师的气势。

一生一世相守，这琉璃世界。

第八章

还中国一个体面

小小的圆形,有时候是规则的;有时候是不规则的。

基本上,是气,是谷粒,几千年来都是自然生命之源的意思,

引伸成为自然和生命象征。

这样一种将生命的意义,发展成为设计上的装饰符号,

琉璃工房认为是我们继承中国文化传统的重要宝藏。

不论我们用多么精密的电脑温控窑炉,

不论我们用多么复杂的精铸方式,

我们的心里流着遥远的中国亘古的血液。

谷粒,是一种感恩,

谷粒,是一种敬畏,

形式不同,本质永远不变。

——谷粒文镇

今生相随
——杨惠姗、张毅与琉璃工房

生也有涯，文化传承无涯。

中国文化——琉璃工房的根、灵魂、精神、紧紧系连着生命血脉的脐带。

1987 年，琉璃工房进入琉璃行业，虽然祭起"中国现代琉璃"的旗号，但中国琉璃的具体概念，还在云雾缥渺间。至于当年选择以脱蜡精铸为技法，是因为相信它有比较大的创作空间；有关此技法的背景知识，他们一直禀信"书上说"："源自于埃及，19 世纪在法国振兴。"

数年奋斗，琉璃工房苦苦引颈西望，以近乎朝圣之心，索求全世界"只有"法国人才能掌握的独门密技（一定是这样的，因为"Pate－de－verre"这个词就是法文嘛！）

然而，事实并非如此。

1991 年，琉璃工房被正式邀请参加于日本晴海举办的世界性工业商品展。第一次跨出台湾岛，琉璃工房欣慰中带着肃穆。

虽非禅宗公案，一样当头棒喝。那天，日本玻璃艺术学者、著名收藏家由水常雄来到展出现场，聚精会神，仔细端详。杨惠姗、张毅客气上前招呼，在社交性攀谈间，由水先生竟然透露："你们知道吗？其实中国两千多年前就已经出现过这种技法，河北省满城县西汉中

玻璃耳环(后:中山靖王刘胜墓出土古物)
(前:实验考古试做品)

山靖王刘胜墓出土过一件玻璃耳杯,应该就是脱蜡法制成的。"

此言当真?此言果然?众里寻他千百度,那人却在灯火阑珊处。

由水常雄指的那件西汉玻璃耳杯,经中国科学院环境化学研究所,以光谱定性分析,肯定为中国自产的玻璃。这个耳杯长13.5厘米,宽10.4厘米,高3.4厘米。1968年河北省满城县西汉中山靖王刘胜墓出土,河北省文物研究所藏。耳杯为翠绿色玻璃制成,半透明,表面有绣蚀,器身为椭圆形,两侧有耳,微向上翘,腹壁下收,平底假圈足。历年来,出土的汉代玻璃器皿数量有限,其中可认定为中国自产的玻璃器皿更是少数，刘胜墓出土的这件玻璃器，保存完好，弥足珍贵。

最早的中国脱蜡铸造

1993 年，琉璃工房第一次在北京故宫博物院展出时，嗫嚅、惶恐，道出心愿——是否有幸瞻仰那只西汉耳杯？

开展帷幕一揭，永寿宫第一进大厅，中间一列横陈的展柜里，最先纳入视线的，并不是琉璃工房的作品，而是一件底色灰绿、沁成斑驳灰白、右耳残缺一角的小

1993 北京故宫展开幕，李行导演致词。

杯(其实是一件四壁稍高的浅盘,用以盛酒,又名"羽殇杯")。说明上写着"西汉中山靖王刘胜墓出土,极可能是现存可见的、最早的中国脱蜡精铸琉璃器"。

西汉耳杯居中,自己的创作蔼蔼陪衬,谦逊而恭敬。那是一份怎样的心情呀?张毅、杨惠姗想诉说:"琉璃工房脉搏里,流动着中国历史文化的久久远远。"

1998年8月,睽违五载,琉璃工房带着最新创作,第二度登堂入室,于北京故宫博物院展出。这一次,他们仍煞费周章,情商借来西汉耳杯,并以自己研发的现代玻璃粉脱蜡铸造法,复制了一只,维妙维肖;历史睽违两千年,两只耳杯有缘并肩而立。宣示着此次展览的主题——"让中国琉璃在这里重新出发。"

致词者为故宫博物院副院长谭斌,英若诚
(右三)及吴祖光(右一)参加开幕式。

问渠哪得清如许,为有源头活水来。

不夸张,这只一掌盈握、千年沉重的西汉耳杯,应该就是琉璃工房安身立命的基础;奋斗不懈的精神发电站。

眼神透露罕见的激动,张毅仍然记得,初闻由水常雄那番话,心绪何等搅糅汹涌。"整个下午呆坐在那里,慢慢的,开始觉得很舒服,好像突然找到家的感觉;接着腰杆挺直,头抬得高高的,我知道自己在做一件有意义的事,一切都变得师出有名。"

无论哪个民族,无论其历史或长或短,把握自己文化遗产的能力;尤其是善于将组成文化遗产的种种特质,予以理性分解的能力,都是至关要紧的。

有了这样的思索,琉璃工房目光聚焦于一点:中国历史、中国文化。

脉搏里流动着历史血液

以《文化苦旅》、《山居笔记》等书闻名海峡两岸的文化学者余秋雨,在上海结识杨惠姗、张毅之后,深觉一见如故。朋友虽新交,意念却似乎早已相通。上海博物馆展出之前,他以独特的感知、娴熟的文字功底,解读杨惠姗的中国琉璃心情:

"原来还以为是法兰西文化的骄傲呢，居然在异国他乡拾到了一部依稀的家谱，找到了自己远年血缘的印证，为什么自己会毫无理由地对琉璃世界如痴如狂？为什么以前毫无雕塑经历和冶炼经历，只凭自己的摸索便取得奇巧配方？也许是接收到了几千年前发出的秘密指令？几千年都是失传的荒原，荒原那边是影影绰绰不知名的伟大工匠，荒原这边是一个惊慌失措的当代女子，两边的窑炉烈火熊熊，像两座隔着千山万水的烽火台。烽火台传递的信号却准确无误。"

"此时的杨惠姗已跻身数量极少的国际第一流玻璃工艺大师的行列，一次又一次轰动的展出，一浪又一浪如沸的佳评……她把全部荣誉献给了祖先，只想与祖先共享一个名称，中国琉璃，然后相扶相持传播给今天的世界。"

人间难得知音，如同余秋雨教授所言，张毅怀着敬畏与谢恩，对世世代代用血肉铺筑琉璃路的祖先们，奉献上饱满的热情、终身的承诺。

"我和惠姗有时会想，如果我们相信世界上有鬼魂的话，好像有一个汉代、唐代或宋代的人一直在我们旁边看,开始做的时候,他好着急,不是这样子的啦!但愿我们一步步走下来,能看到他慢慢点头,绽现笑容,嗯!马马虎虎啦!孩子们,继续努力!"

中国需要与世界对话,世界也希望以新的角度看待中国,中国琉璃也许正是理想媒介。

有文化才有尊严

人们无法唤回过去,却可以用心于现在,并创造未来。

平心而论,琉璃工房在技法上不曾受乳于汉代的脱蜡铸造法;与清朝中叶蔚然风靡的"料器"(以鼻烟壶最富盛名)也无直接渊源。"中国琉璃"纯粹是精神上的滋养;一种民族文化意识本质的觉醒。

这些年来,曾经有不少人半关心、半质疑地问:

明明是座落于台湾淡水的琉璃工房,为什么非要戴上"中国琉璃"的大帽子?

明明中国琉璃的传统已经中断,为什么不干脆由现代重新开始?

明明是产业,为什么要背着文化的包袱?

原料明明是水晶玻璃,为什么偏要叫"琉璃"?

能解答这些问题,便能刻画出琉璃工房勇往直前、无怨无悔的精神轮廓。

先说一个故事来听听吧!

有一个 26 岁的青年,第一次出国,到了日本。在最热闹的池袋西武百货附近,正逢下班时间,他忽然看到一大群从地铁站出来的上班族,同款风衣、同款公事包,连动作神情都一样……接着他去看茶道表演,几个简单的步骤,一丝不苟,表现出极大的诚敬尊重。在日本,吃饭也是新奇经验,料理店的服务生会先在门口说声"打扰了",才跪着拉开纸门;布好饭菜,温柔招呼"请慢用",接着倒退着出去,再拉上纸门……来到古城奈良,先是惊讶于这个地方的宁静整洁,半夜漫步街头,心血来潮,弯下腰一摸,马路上竟纤尘不染!

同是一幅景象,如何体悟,因人而异。这个感官敏锐、心思缜密的青年,发现日本人尊重有节制、有秩序的基本社会生活规律;人与人之间、人与环境之间,自有一套进退揖让的节仪。

相对于物质仍然贫乏的台湾,他除了"忌妒"日本的经济发展与民生富足,更努力推敲:为什么战后的日本能从破败中迅速复兴?这个社会的精神基础何在?他继而描摹,那是因为日本社会拥有颠扑不破的文化价值,任何人不敢冒犯,连最前卫的艺术家,回到生活中,对传统文化仍然充满骄傲、不敢冒犯冲撞。

另外，日本人先后撷取自中国的音乐、文化、艺术被保留、珍重至今，人民所流露出精神上的自信，以及民族社会的稳定性，在让他心向往之。再回头看看台湾，他隐约得到这样的结论，"当过去的文化被一刀砍断时，未来的文化也就没有建立的基础，缺乏精神的依托和美，空虚随之而来。"

故事的主人翁就是张毅。

那年他已经觉悟，如果一个民族不懂得尊重自己的过去，从历史中学习，就算经济再发达，也像是踩在棉花上，走不远、陷得快。

随着年龄增长，感想、推论渐渐条缕分明，力度增强，酝酿出日后琉璃工房"薪火相传中国琉璃"以及"有文化才有尊严"的基本理念。

扭转中国文化劣势

琉璃，其实只是表现这些理念的"载体"。

投入琉璃事业之后，张毅几度造访欧美国家，在日本经受过的心路历程，也曾反复出现。一次次震撼与撞击，他并没有很犬儒地无奈慨叹，而是决心用自己的力量去扭转中国文化的劣势。

"琉璃工房坚决相信，文化贫血不是遗传，中国过去曾经拥有足以傲视人类的艺术宝藏,虽说近一个世纪的战乱、迁徙、流离,百姓温饱尚且不足,没有能力耕耘文化的土壤;但是,到了锦衣玉食、外汇存底世界数一数二的今天,中国能不能有一个新的开始呢?琉璃工房不讳言,最初投入琉璃创作,只是迷恋那材质经由光热里生成、明艳耀眼的个性;十年过去,一步步走向一个更深沉的领域,所谓历史、所谓文化,慢慢有了比较清晰的意义。

张毅、杨惠姗都是战后婴儿潮中出生的一代,心智较为成熟之后,眼见台湾将全部精力集中于经济发展,社会愈来愈走向浮躁、空洞,心中的那份焦急愈来愈紧迫。借着琉璃创作,他们试探着向社会呼喊:中国人除了吃饱穿暖,还需要何种精神状态?希望玻璃这种材质只是沟通媒介,能够带动一种"文化性消费。"

创造现代中国琉璃风格

杨惠姗透过琉璃与古老民族的博大敦厚对话,历史回报以祝福。

"年轻时我们日子过得很糊涂,念书是为了考试,或者出国留洋,对中国、对历史文化一知半解。但是从事琉璃创作后,我才突然觉得摸到了历史,突然知道了很多道理，这是过去念了多少书都不懂的。一面思考作品，一面观照自己在历史中的位置，你会变得很客观。琉璃工房一路走来，未来要走到哪里去？我们自己给自己的答案是：我们对这块土地很不满意，觉得中国人活得没有尊严，我选择留在台湾，如果能做一些有价值、有意义的事，觉得对自己有了交代。"

今天，琉璃工房在玻璃粉脱蜡精铸法的掌握上，除了法国的杜姆能够推出类似的产品，全世界并不多见。然而技巧毕竟只是技巧，张毅并不为此所惑："琉璃工房关心的是，我们能不能透过这些技巧，创造一个现代的中国琉璃风格？在追寻的过程中，真正的目的更在透过一种全面、多样性的蓬勃文化艺术创作，建立一个新的生活层次。而在那里面，我们才有可能期待中国人的新尊严。"

一动一静，接续连贯每一个刹那。琉璃工房进入文化的万仞宫墙，处处惊见华美宝藏，渴望传承并发扬中国历史上辉煌的成就。因此无论作品涵义、企业经营方式，都从"中国"出发，辐射风格鲜明的企业形象。

玻璃? 琉璃?

记得唱过这么一首童谣：有了新朋友，不要忘记旧朋友；新朋友是银子，旧朋友是金子。如果将"玻璃"喻为新朋友；"琉璃"正是不应忘记的旧朋友。

严格分析，今天琉璃工房所有作品的原料，叫做人造水晶玻璃。玻璃是一种化学物质的名称，主要成分为氧化铝和矽，他们目前使用自己独特的配方，即含有24%氧化铅。至于为什么不直接说"含铅玻璃"，而要称为"琉璃"呢？想想上面那首童谣的"忠告"，也许便明白了。因为"琉璃"如同珍贵的旧朋友，使用这个词汇，代表了对古人的虔诚，让人想起传统、想起文化。

从前，外界常提出有关"琉璃"与"玻璃"的名词问题，张毅总是一次次反复解释："我们认为玻璃是一种材质，但琉璃是一种精神、一种心境、一种文化。太多原本没有生命、不具意义的东西，经过了感情的温暖和关注后，都会变成活灵活现的生命体。不仅引发原创的共鸣，更有可能开展宽广的想象空间。所以，热情和执着，才是中国琉璃延续及复活的真正动力。"

"用富含人文和历史精神的'琉璃'一词，来作为这一个专门艺术领域的基准词汇，在中文语意和字源上才更为清晰和贴切，也更美。"杨惠姗由衷希望："经由这个材质的学习，琉璃工房能唤醒某一程度的中国民族传统里的宝贵价值……而在琉璃艺术蓬勃发展，独缺中国琉璃的情况下，但愿琉璃工房能填补遗憾。"

工房二字早在"宋代"已普遍使用,如今又与中国人重逢。

　　回归到原点,不但"琉璃"是旧朋友;"工房"一词也是中国人的旧朋友。

　　最早创业的时候,公司登记的名称为"中国现代水晶股份有限公司",但是品牌要叫什么呢?张毅记得在日本看过"工房"两个字,觉得很有书卷气,回来之后查资料,发现在《天工开物》一书中记载,宋代时"作坊"、"工房"已使用得很普遍。"明明是中国人的,为什么没有人用,我觉得理直气壮,也许短期内会有人说日本味太重,但用了 10 年、20 年以后,很多人到日本看见工房两个字,可能就会承认那原来是我们中国人的。"

挑起民族的使命

　　一个小小民间组织，却立志挑起整个民族、国家的使命，表面看来无异痴人说梦，但琉璃工房已下了决心，咬定青山不放松!

　　琉璃工房作品始终锁定中国风格，延续中国人文思考，例如天人合一、天圆地方、生生不息谷粒纹等，都是希望透过琉璃工房的引领，回到中国人的生活中。张毅一脸正气、语出豪迈:"如果只沉湎于古老的辉煌中，不知道后续如何，就好像镜头停留在某一时空，没有继续往下推。历史是活的，不断在成长，我们想证明，现代人假如够努力，也可以再创辉煌。"

　　近几年参与国际交流，他们也看到许多坚持民族风格的艺术家，证明自己的思路正确。例如日本的藤田乔平，刚开始创作的时候，也曾茫然摸索，但抓到了民族风格这个主题之后，艺术造诣突然上了好几个台阶;而风格一旦确定，25 年不改变。今天只要是看到精致、幽雅、充满大和风情的琉璃盒，全世界琉璃艺术界都能立刻指出:那就是藤田乔平。

　　著名设计师王行恭也同意，中国琉璃这个方向应该是对的，一方面由于中国琉璃已有百余年真空，国外的艺术家、设计家,脑海里从来没有"中国琉璃"的刻板印象,游刃空间无限宽广;一方面创作上直接从中国出发,也有别于国外的现代艺术造型,异军突起,容易快速吸引国际社会的眼光。

"十年琉璃路,一点澄明心"。琉璃工房今天已然可向世界宣告,透过中国人的双手,可以完成顶尖的工艺品。这是中国人做的、最好的琉璃,和世界历史悠久的各大名牌相比,丝毫不逊色。买琉璃工房的作品,就是买一份中国人的尊严。"中国人沉默很久了,吃瘪很久了,他会想要一件代表中国人尊严的东西,买一份尊严,珍藏一份文化、拥抱一份历史的骄傲。"张毅大哉斯言。

第九章

今生相随

——
杨惠姗、张毅与琉璃工房

倾听古琉璃的声音

血液,既不能选,
骄傲,就不能免。
龙的性格,表面上是圆的;
内心里是方的。

——龙缘

北京故宫,天子府邸;殿宇嵯峨、气派雄伟。

过去,这是个神秘莫测、遥不可及的禁区。现在,皇帝走了,世界各国游客来了,紫禁城门槛儿低了。

一行人,沿着朱赤色内墙,穿过绿荫葱茏御花园,鞋跟磕碰青石板,音声悠悠笃笃地回荡。

其中有两个身影,随人前进,显然无心四顾浏览,重重行行,感觉得出,神情既兴奋又徬徨。

那是琉璃工房的张毅和杨惠姗,正带着他们几年来创作的成果,第一次踏进故宫博物院"毛遂自荐"。边走边想:若能跻身世界十大博物馆之一的故宫博物院该有多好? 真的有幸进入这座中国艺术的代表性殿堂吗?

在褪色龙柱、染尘清花瓷瓶见证下,发展却出人意料。

面对一群故宫专家,个个目光炯炯。张毅、杨惠姗先自报家门,然后战战兢兢地摊开 16 页作品彩色精印图录,每翻过一页,就听到"啧啧……""啊……""嗯……"的惊叹之声,此起彼落。这些专家为何情不自禁:一方面从来没有看过如此精准、细致、典雅的现代琉璃作品;一方面自晚清"套料"玻璃以来,空白了一百多年的中国传统工艺,竟然在东海一隅的蕞尔小岛接续振兴。故宫博物院院长吕济民说:"中国十几亿人没做的事,台湾几十个人做到了!"

首开故宫展出纪录

　　既要通过中国文化部、国家文物局等单位考虑评鉴,又要克服内部某些人反对的声浪,1993年,"琉璃工房"终于成为海峡两岸恢复往来后,第一个在此展出的台湾艺术团体。24天展期中,举办专家座谈会6次;故宫博物院随后收藏杨惠姗创作《药师琉璃光如来》、《阿弥陀佛》等7件作品,并破格颁发收藏证书。

1993年,琉璃工房以精致的作品实力,争取到北京故宫举办艺术展的机会,成为两岸开放后第一个到故宫展出的台湾艺术团体。右二为当时的故宫副院长杨新。

对一直强调"向中国学习"的琉璃工房而言，这是成立以来最大的成就。获得北京故宫博物院认可，充满强烈归属的喜悦和荣耀，从此，可以大声说"琉璃工房，代表中国琉璃！"

在这次展览中，不但展示了琉璃工房的创作，更把数年来用心良苦搜藏积累的中国古琉璃，一并呈现在生疏而亲爱的同胞面前。

吕济民院长由衷赞扬："琉璃，中国古代玻璃，是中华民族历史文化遗产的瑰宝中的重要一项。它从西周以来三千多年的发展史，闪耀着先民勤劳、智慧的科学艺术的光芒。在一个相当长的时期里，我们民族历史上的这个光荣被忽略了。台湾琉璃工房，杨惠姗、张毅、诸君子，以搜集、宝藏中国古玻璃为大任，以融古今玻璃工艺成就为鹄的。数年中搜藏日富、技艺日精，文艺粲然大成。"

搜集中国古琉璃 400 件

琉璃工房搜集的中国古代琉璃共约 400 件，藏品年代跨西周、战国时代、汉朝、南北朝、唐、宋、明、清；器形包括琉璃管珠、陶胎琉璃珠、有眼琉璃管、琉璃虎、琉璃佩、琉璃剑饰、仿玉带钩、黑料金星鼻烟壶……。

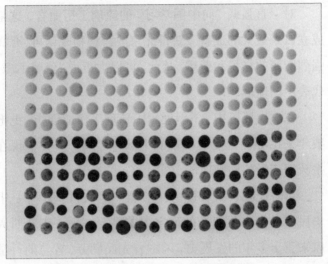

琉璃工房收藏唐、宋(618－1279AD)琉璃围棋子。

其中比较特别的包括：一只高 5.6 公分的盘口瓶，这是西晋时期特有的器型，拿到 17 瓦的灯光下一照，"啪!"的一下，应声而裂，可见其薄、其脆；也说明当时中国工匠吹制技术已登峰造极。另外有一副唐朝的琉璃围棋子，黑白分明，每一粒棋子大小、厚薄都很匀致，为世所罕见。

还有琉璃手环、琉璃簪等，都是中国独有的形制，证明"中国玻璃外来(来自西亚、波斯等地)说"有难以自圆其说的漏洞。

虽然这批古玻璃蕴含大量讯息，极具研究价值，但光是做一次"热试力检验"，以确定其年代，就要耗资台

琉璃工房收藏汉
(206BC－221AD)
琉璃壁。

币 10 余万元；再加上古琉璃怕光、易碎等限制，有系统的研究工作，实非琉璃工房所能独立承担。从去年开始，自认只是这批中国人共有财产"暂时保管者"的张毅，初步和北京大学协商，愿意提供一部分古琉璃藏品，作为学术研究之用，希望能整理、归纳出更多珍贵的讯息。

也许，中国古琉璃之谜仍需要几代人的努力才能完全破解，但至少琉璃工房已开了头！

据估计，目前琉璃工房的中国古琉璃藏品，在全台湾不仅件数最多，器型最多样，年代上也最完整。由于一般收藏家大多不了解古琉璃的价值，至今未予垂青，连历史博物馆大概也只收藏了约 20 件。

何其有幸，穿越混沌、泅过历史，它们竟被引领、聚集到琉璃工房，每一件都被层层细心包裹，既像是保护新生儿的温暖襁褓，又如体恤父祖辈的御寒棉袍。

用微微颤抖的手，捧起一块汉朝琉璃璧，它出土时本已断裂为五片，看得出细心修复的痕迹；正面谷粒纹清晰可辨，背面平滑如镜，暗湖绿色泽，千年土沁深入肌理，触感微凉，随即温润。叫人不禁浮想：这些或曾身埋旬尺后土；或曾经历战火兵灾的古琉璃，不但反映出历代冶炼技术水平，也可管窥数千年来中国先民的生活细节、思想心理、艺术文化。

中国古琉璃的迷思

中国是世界著名的文物大国，但在所有文物项目中，古代玻璃器是数量最少的种类之一。

在历史的纵深里，玻璃器可以遥溯到商、周时代的工整玻璃谷璧；战国时代迷人的琉璃珠；或是唐朝神秘的葡萄美酒夜光杯；当然也有近年来在国际拍卖场上行情走俏的清朝鼻烟壶。但是在那之后，约 100 年真空，中国玻璃，在时代的颠沛里，已悄然隐身。

1984年,美国康宁玻璃博物馆组织过一次"中国古琉璃的科学研究论文讨论",发动美国、日本、中国的学者四五十位,用X光、碳14法,以及所有能利用的科学方法,分析了近200件出土的中国古琉璃,完成了第一次中国古琉璃有系统的研究。

但是仍然无法完全解开中国古琉璃的迷思:

怎样区分中国琉璃和舶来琉璃?

中国琉璃最早出现在什么年代?最早的中国琉璃作坊在哪里?

中国琉璃的制造方法,和其他产业的技术,诸如炼金、铸铜、鎏金、炼丹术等有什么关联?

中国琉璃在不同历史阶段有不同化学成分,是什么原因促成的?

中国琉璃在全世界琉璃历史上,应该有何种地位?

匆匆又已十余年,可惜直到目前为止,中国琉璃器还没能够像瓷器、玉器等文物大类那样,建立起完整的发展序列;可供参照的断代标准器又不成系统。遍寻海峡两岸,竟没有一本权威的中国玻璃史,或者有关中国古代玻璃鉴定的书籍。

千年琉璃，千年流转

根据零星资料记载，"玻璃"一词并不是中国最早关于玻璃材料的称呼。成书于战国时代的《尚书·禹贡》中提到，玻璃当时被称作" 琳"，所谓璆琳，本意是指美玉，在这里被借用为玻璃这种新生事物的名称。后人推测，中国玻璃器是古代冶炼青铜器，或炼丹术的副产品。

西汉以后，璆琳一音转为"流离"，或"琉璃"。在东汉班固的《汉书》中，称为"璧琉璃"；此外还有"吠琉璃"、"毗琉璃"、"头梨"等称呼，均源自于谐音。南北朝时也出现"玻黎"、"颇梨"等说法。从晋代开始，玻璃器还有其他的名称，如"药玉"。元代时出现"璆玉"的名称，明代开始又被称为"料器"，还从日本引进了"硝子"的称谓。到清代以后，琉璃一词虽仍存在，但已经不是指玻璃器，而是专指低温彩陶所制成的釉面砖瓦（琉璃瓦）了。

玻璃的制成配方基本原料是二氧化硅，助溶剂则多种多样，包括氧化钠、氧化钾、氧化铅、氧化钡、氧化钙等。区分不同类别的玻璃，就是根据不同助溶剂的成分。

目前可以看到的中国古代玻璃可以分为两大系统：铅钡玻璃系统和钠钙玻璃系统。部分学者指出，前者为中国自产，属低温玻璃，大多不透明，轻薄质脆，色泽艳丽；后者为西亚传入，属高温玻璃，透明，色泽微暗，适用于烧造实用器皿。不过，在这两大系统下，中国玻璃并无统一的、稳定的配方成分，表现出极大的随意性、动荡性，分析起来极为复杂。

撇开严肃的考古研究、化学分析不谈，其实在历代文人墨客笔下，玻璃是十分生活化，而且挺浪漫的写作素材。

唐朝白居易曾在《简简吟》中有一句"彩云易散琉璃脆"，非常明确点出了玻璃性脆而易碎的特性，也流露出万物无常的感悟。同一时代元稹《咏琉璃》中，则描写"有色同寒冰，无物隔纤尘"，充分传达出玻璃剔透晶莹的诱人风采。其他如唐朝温庭筠《菩萨蛮》里有一句"水精帘里颇黎枕"、宋朝陆游"剑南诗稿四、凌云醉归作"中提到"玻璃春满琉璃钟，宦情苦薄酒兴浓"，证明当时玻璃器已经走入生活中。

另外，在耳熟能详的清代曹雪芹著名长篇小说《红楼梦》里，也出现一些有关玻璃器的描写。例如第三回中，荣禧堂里"一边是金蟾彝，一边是玻璃盒"；第六回贾荣笑道"我父亲打发我来求婶子，说上回老舅太太给

婶子的那架玻璃炕屏,明日请一个要紧的客,借了略摆
一摆就送过来。"

来源稀少价格昂

从事琉璃创作,本身已带着些冥冥中无法参透的因
缘;琉璃工房收藏古代琉璃,更像是在芸芸众生中被"挑选"
的,历史老人独具慧眼,把传续薪火的神圣使命交付他们。

可惜"启蒙"还是晚了些。过去,中国古琉璃经由不同
管道流至香港,然后卖到全世界。不久前,英国一家著名古
董店拍卖一批标明"中国古琉璃"的藏品,多数为小小的蓝
绿色瓶子,高度不及 10 公分,标价平均却在 1 万元英磅
(约 50 万新台币)左右一个,而且很快就抢购一空。

日本人嗅觉更加灵敏,出手也快,许多珍贵古琉璃
早已被日本人搜罗,藏于扶桑。这些年供应愈来愈少,
价格也愈哄愈高。张毅、杨惠姗的经验是,久久没动静,
忽然某一天,传真机铃声响起,嘎嘎吐出一张纸,含糊写
着有一件东西待价而沽,长得什么样子? 旁边草草画上
两笔,点到为止。重点是价格;还有"如果你们不要,很
多人等着要"之类的"暗示加威胁"。

说实在的,以琉璃工房微薄资财,真的很难和各国
大博物馆、大收藏家一起参加什么竞价、标购的,但每每

在"to be or not to be"的挣扎时，只要想到，今天回答一个"不"字，这件老祖宗的宝贝就擦身而过，而且永远再也见不到了。傻劲儿一发，憋着一口中国人的志气，"我们勒紧裤带也要收藏一些！"张毅咬着牙说。

几年下来，涓滴累积，某些藏品好像自知归宿，呼朋引伴，一个接一个来到他们手中。例如一件辽金时代的琉璃发簪，通体碧绿，造型幽雅，被某玩家误以为是翡翠，花了 5 万元买下。但是找人鉴定之后，大失所望，"哎呀！假的啦！玻璃嘛！送给杨惠姗好了！"

"我不管它增不增值，我是买一个千百年前和我一样走过这条路的人的足迹。"张毅、杨惠姗异口同声。

琉璃工房，在古琉璃之路上，留下一行细长而寂寞的脚印，这脚印仍将继续往前延伸，只为了更接近历史精魂的呼唤。

以中国古琉璃为师

回想琉璃工房成立约莫已有六七年了，仍不时传来外界的冷言冷语："你们半路出家，学了点皮毛，就想做玻璃，那么那些动辄上百年的法国艺术玻璃世家都是混的吗？"张毅知道他们说的是事实，也把这个事实一直放在心间，不敢或忘；但更加牢记在心的是：中国人的骄傲,不容妄自菲薄。

细数 19 世纪"新艺术"(Art Nouveau)、"装饰艺术"(Art Deco)时代的欧洲玻璃艺术名家,如加利(Emil Galle),在他们的创作中,大量运用了中国器皿的装饰观念。

美国的彩色玻璃名家第芬尼 (Louis Comfort Tiffany)、卡得 (Fredrick Carder) 许多作品的设计、造型根本仿自明清瓷器。

审视中国洛阳古墓出土的战国蜻蜓珠镶嵌铜镜,制作年代推测至少在公元前 4 世纪,距今 2300 年以上,而其设计之典雅优美;运用的技巧繁复却精确纯熟。即使以今天的水准衡量,都不愧为非凡杰作。

置身在琉璃事业,不同于其他收藏者或投资者,琉璃工房对这批古琉璃藏品的态度,涵盖了多重层次。

一、工艺上的学习:

除了观察各个朝代琉璃工艺与艺术文化发展的相关性,对材质及制作方式亦有极大参考价值。并且由于自己了解技法及制程,更能体会中国古代琉璃艺师在技术上的成就;也试图解读在那种技术背景下,琉璃是如何制作出来的?而各朝代之间连结与传承的轨迹又是如何?

二、观念上的学习:

古代琉璃虽不语,却活生生示范了两种价值观,其一,伦理的——脚踏实地、按部就班、心平气和地顺着时空律动,不冒进、不急躁,没有跳跃、没有逾分;其二,实践的——自己动手做,享受流汗后的欢呼,一分付出,一分收获。

聆听祖先智慧的声音

好友王行恭可以算是他们收藏古琉璃的"带路人",他认为,除了向古琉璃直接学习,这批藏品的重大意义不可言喻:首先,有助于把"中国琉璃"的概念塑造得更坚实。"什么叫中国琉璃,光用说的很难取信于人,但只要看到这些收藏,不用开口说一句话,人家马上就知道你的根源、传承。"其次,有助建立企业形象。"虽然他们负担很重,常在生存和社会使命感之间挣扎,但是这种舍我其谁的精神,感动了很多人,愿意用各种方法去支持他们。"

琉璃工房精神导师张毅希望,三代、五代之后,人们会明白他们的心意,这些古琉璃能给社会带来尊重历史、尊重伦理的文化价值。

"有一天,我想建一座琉璃美术馆,墙也漂亮、地板也漂亮,小孩子进来觉得很体面,不会喧哗聒噪,静静聆听祖先智慧的声音。长大了,他到法国,人家告诉他,法国玻璃有几百年历史,他可以很骄傲地回答:'我们中国几千年前就有了,而且现在做得也不比你们差。'"

今生相随

——杨惠姗、张毅与琉璃工房

诚意、伦理、秩序

大声合唱一首歌,管他别人爱听不爱听!

唱得太阳永远不下山,

唱得星星不回家。

大声合唱一首开心的歌。

——大声合唱一首歌

唐代灵云志勤禅师有一首"桃花"诗偈：

三十年来寻剑客，几回落叶又抽枝；
自从一见桃花后，直至如今更不疑。

1993年，张毅在"北京故宫博物院之后的琉璃工房"一文中说：

"六年来，琉璃工房虽然自信努力不懈，但从不敢自许对于工艺美术天分独具，因此诸多不足与谬误，必不可免，然而，琉璃工房自始至终坚持工艺美术之基础，在于'诚敬之心'。1992年，琉璃工房有幸遍访捷克艺术玻璃界，对于当代巨匠大师，无一遗漏，欣喜之情，不在话下，但是，最大的感动，在每位献身玻璃工艺美术30年以上的艺术家身上，看见诚敬美德带给一个人的美好气度。其谦冲、其和煦，其对工作之诚敬，是琉璃工房日日夜夜存记于心而绝不敢稍忘的。这些特质，基本上其实都存在于任何一位投掷一生岁月于一件工艺而精进不懈的艺师身上。"

相对和谐的天地

工艺。对于琉璃工房而言；或对张毅而言，强调"工艺",与其说是勇气,毋宁说是了悟。

"漆器、陶艺、木工,无一不是,这些前辈以一个微薄的'人'的身份,谦虚地在材质和技巧组成的工艺世界,穷一生岁月,发展出一个相对的和谐天地,把人的价值延伸至无限,而其自身也成为宇宙律动最和谐的一部分,当人面对他们,已经仿佛面对一棵海岸巍然的古松,一个巨大无匹的奇岩,明明白白,而不须任何言诠。琉璃工房看看他们,想着他们,一步一步走向他们。"

"琉璃工房主张伦理,因为我们相信伦理存在于所有工艺作品里,它是人的态度、人的期许、人的宇宙观。伦理也存在于所有工艺技术里,它是人对自然的学习,是人对自我的训练,是人的生活修持。伦理也存在于工艺的群体里,一个人,生亦有涯,一件陶器的表现,基本上交融会合了所有人类陶艺史的心智经验。工艺家不可能自绝于历史,自弃于群众社会,而在谦虚的学习里,人和人有比较好的关系。"

"琉璃工房主张工艺,是基于动手做的工艺定义,是基于材质和技巧互动影响的工艺本质,是基于对人的过去的归属认同,认为工艺是当今深荡虚无世界的最有力反动。如果在这个时代,需要一个新的当代主义,琉璃工房主张工艺。勤勉、劳动、谦虚,在一个技艺里,放下对'劳力'的优越身段,同意在传统里曾经发展过无数卓

越的经验，然后以一个新的工艺观念，累积自己生命的
精华，进而引导启领下一代，期许在三代一百年后，琉
璃工房能够为中国玻璃工艺，开展出一个亘古的局面，
那么，琉璃工房的未来方向，其实已经十分明确了。"

自那以后，一朵不疑的桃花，果然善自护持，永远
退失。愈开愈烂漫，成为琉璃工房的本来面目。

对"速食面"时代的反动

1987 年成立之初，当一位朋友曾坦率诘问："你们
做的到底是艺术品，还是工艺品？"十几岁就曾是小有
名气的文艺青年，张毅形容彼时的心情，有如"冰水浇
头"。然而，11 年过去，无数的反复思而学、学而思，琉璃
工房终于可以理直气壮地说："宁为工艺！"

张毅自己的看法是：对这个急功近利的"速食面"
时代的反动。

"11 年来，琉璃工房努力发展了一套独特的企业文
化，基础就是这个'宁为工艺'的观念。每一个琉璃工房
的工作伙伴，进入工房接受初期训练时，都要经过这个
概念的洗礼。"琉璃工房称之为"工艺伦理"。

这个在理论上应该是史无前例的"工艺伦理"，基
本的说法很简单：琉璃工房认为工艺美学的形态，是一

第十章——诚意、伦理、秩序

219

上海琉璃工房的伙伴们正忙着为上海博物馆的展出布置。

种伦理结构,张毅举例而言:"学习陶瓷的人,必须先学习陶瓷的材质;诸如陶土、釉药。然后,进一步学习由陶瓷材质引伸出来的陶瓷创作技法;诸如:拉胚、烧窑。当材质和技法熟练之后,创造出的陶瓷作品,必须在整个陶瓷历史里,求得一种观照式的相对创作价值——因为一般而言:工艺美术创作里,请求在基本动作熟练后,累积出风格创作。很难想象:一个杰出的陶瓷艺术家,不懂陶土、不懂釉药,不拉胚,也不烧窑,更从不知道陶瓷艺术的发展历史和自己创作(如果也算创作什么的话)的相互关系。"

走过长时间学习历程的杨惠姗和张毅,深深知道工艺美术之中,材质与技法学习的辛苦和挫折,然而一个人愿意持之以恒地去学习,去承受那种辛苦和挫折,首

先的收获,倒不是工艺美术创作本身的身心喜悦,而是
——谦虚。

"而工艺美术结构性地需要历史传统的观照价值,
不也是另外一种谦虚?"他们相信:"一个人肯学习、肯
谦虚,愿意接受劳动,能够以一个'小我'的基点面对过
去或传统,他应该能够知道自己在宇宙生命里的意义
和价值,相对的,他也应该能够明白:与其批判、消极或
虚无,不如沉静地以平常心面对琐碎。"

张毅说起有朋友到爱尔兰参观当今世界第一名瓷
厂"韦奇伍德"(Wedgewood),在大厅里庄重地陈列着
一只展示柜,里面放了一把中国宜兴茶壶,说明上写着:
"从这里我们得到整个产业工艺的灵感。"

"你想知道今天宜兴茶壶的状况吗?"张毅哭笑不
得地自问自答:"整个宜兴已经快把紫砂土挖掘空了,
而挖出的紫砂土全作成满坑满谷、一模一样的壶。听说
'西施乳'(一种壶型)好卖,转眼整条街连地摊上都是
'西施乳'。原来一只叫价一、两千块(人民币),一夜间,
用草绳串起卖,一串八只,一百块。"

在这样的时代里,张毅怀疑工艺美术的活跃与否,
和社会的盛衰有一定的相互关系。

每一年要亲自面试几百名应征者,张毅感叹地说:
"每一个都急急忙忙问要多久才能做自己的创作?"很

少人关心整个团体的责任、企业文化的生命延续。

一心一意用下半生岁月投入工艺创作,建立"工艺美术的新人文价值",杨惠姗和张毅不悲情,也不抱怨,悄悄地鼓励自己:"就算再笨,用20年去学,总能学出心得来。"如同著名作家白先勇所说的,文化成长需要沃土,这一代也许长不出真正的大树,但是作为草本的我们,尽其所能地成长,而后枯萎,化成土壤的肥料,总有一天,下一代枝叶成长苗壮为大树。

自己动手做

工艺的中心概念其实就是"自己动手做"。杨惠姗不但是这个概念的信仰者,更是实践者。1987年前,她不懂雕塑,她不知道什么是升温、徐冷;一切从零开始,全凭自己动手做,积累出今日的成就。"只要愿意动手做,人人都有机会成为杨惠姗。"她语气果断。

"现代人对于可以经历时间考验、流传千古的东西没有兴趣,只想快一点赚到钱。很多专家也在教人们如何用最短的时间、最简便的技术;尽早量产、尽早回收。但有很多功夫是省不下来的,这也就是为什么现代工艺无法超越传统、逐渐没落的原因。"

听者深受这番话打动,忍不住将目光下移,只见一

对于年轻的伙伴们，琉璃工房的训练方式是："自己动手做"，他们相信惟有从做中学，方能体会工艺美术之美，图为淡水工作室工作情形。

缕 3 月的阳光，含蓄映照在杨惠姗修长的双手上，十指指甲修剪得短而平整，指关节灵活有力，正勾勒诉说劳动之美。她及时补充："每个人都想当艺术家，却常忘了要付出代价，如果有一个人拿把锥子敲石头，敲到一百下石头终于裂开，你不能说只要那第一百下，就忘了前面九十九下。电影是如此，琉璃工房的事业也是如此。"

杨惠姗、张毅相信，对琉璃工房的年轻伙伴，最理想的训练方式就是让他们自己动手做，真正动手做了以后，才会发现自己缺少什么，也才会慢慢去找答案。

琉璃工房不管未来有多少代，最值得传承下去的就是自己动手做的精神，以及永不放弃的斗志。

莫瑞斯的启示

在张毅的工艺美术观念中,最佩服的人是威廉·莫瑞斯(William Morris, 1834～1896)。

19至20世纪是一个新旧交替的时代,新生产力的冲击,像汹涌浪潮拍打着旧生活的堤岸,工业革命带来机器疯狂转动,造成社会和美学的双重危机。

出生于英国埃塞克斯郡一个富裕商人家庭,莫瑞斯正面临这个极度迷惘的时代。他认为,丑陋的现实来自于丑陋的产品和丑陋的环境,要改变现实,唯一途径就是废除机器生产,恢复手工生产。他联合了一批艺术家和匠人,决心用自己的双手,夺回被机器破坏了的生活之美,改变人民单调的生活面貌。

不同于那些自以为高雅的艺术家,莫瑞斯从最基本、实际的部分开始做起,自己设计花布、壁毯、壁饰、壁纸、寝具、玻璃镶嵌画、家具等;并进行大量的工艺实验;请来了久被遗忘的老手工艺人,制作精美实用的工艺品。

他提倡清新自然的设计风格——在林中唱歌的小鸟;蓝色、亮黄色的缠枝纹、雏菊纹是常用的装饰主题,风格简洁明快，给迷失了审美方向的日用工艺品，带来一股源源活力。他设计的图案优雅大方，直到现代还在被加工生产。

在莫瑞斯长达 30 多年的努力之下，英国兴起了蓬勃的"艺术与手工艺运动"（Arts and Crafts Movement），他也被后人誉为"现代工艺设计之父"。

1998 年，杨惠姗的作品在以收藏工艺品闻名全世界的英国维多利亚·亚伯特博物馆盛大展出，开幕酒会正是在"莫瑞斯厅"（Willam Morris Room）举行。

工艺之美永不枯萎

南京艺术学院设计艺术系副主任许平，在他所著的《造物之门》一书中指出，"纵观工艺美术的发展历史，工艺美术将人们的情感与智慧，积淀到实际的文化生活当中，今天的生活文化，是昨天工艺美术创造的结果；而今天创造的工艺美术文化，正预示着明天生活美学的方向……从这个意义上说，工艺美术这条古老的智慧之河，不仅不会枯竭，而且还将吸收时代的精华，汇集现代科学技术、审美情感的激流，敞开其广阔胸怀，更加磅礴地向前奔涌……。"

美国趋势专家约翰·奈思比（John Naisbitt）在《大

趋势》（Megatrends）一书中也说，在高技术的信息社会里，人们使用的是脑力，而不是像工业时代工厂工人那样使用体力，所以人们在业余时间的活动中，需要多多利用手和身体以作为平衡，从目前风行一时的家庭园艺、烹饪、木工等自己动手做（DIY）等活动中可见一斑。人们希望创造有"人情"的生活，而不希望身边都是冷冰冰的机械制品。信息社会让亲手创造的愿望复苏，而工艺美术之美是不会枯萎的。

在时下汗牛充栋的管理书籍中，反复强调企业文化的重要性，而琉璃工房所要建立的是"文化型企业"。

首先体现在人与人之间的诚意、爱心。

例如初创上海厂，他们不厌其烦地起草劳动合同，经劳动局认可、验证，就是希望员工的合法权益能得到法律保护。因为有了劳动合同，才能享受养老金、公基金等福利待遇。除了国家规定的保险之外，还替员工投保意外伤害险和健康险。

对于外地劳工，工房的照顾更是尽心尽力。

一个湿寒刺骨的冬夜，上海厂协理王秀绢在工厂加班，突然电话铃声大叫，话筒那端严厉喝斥，要求她立刻到派出所去一趟。3小时之后，她回到公寓住处，已经接近半夜了。

从她口里得知来龙去脉：一名外地员工因为"暂

住证"过期，被派出所拘留，如果琉璃工房不出面保他，他就要被遣送回乡，还必须接受4个月的劳动改造教育。王秀绢一个年轻轻的台湾女孩，面对苦苦哀求的员工，想尽办法，好不容易才办齐所有手续，具结担保。

在车间（工作间、厂房）里，规定工作人员一定要戴手套、戴口罩，都是为了保护员工的安全与健康。口罩一律买进口的3M牌。如果员工疏忽，甚至会用警告、记过的方式来强制养成好习惯。

进退有节，严以律己

其次体现在严以律己的秩序。且看上海琉璃工房的一天——

早上8点，集体打太极拳。

8点30分，清扫环境。

9点，开始工作。

12点，午餐。

下午3点30分，点心时间。

5点30分，下班。

打太极拳，一方面可以强健身体、训练耐性与恒心；另一方面可以产生凝聚力。

员工在工作前集体打"太极拳"。

清扫环境，为了训练员工的责任感，实践环保精神。

午餐时间，一定要等人都到齐坐好，每个人面前餐盘、餐具都已齐全，才喊开动，一起进餐。如果有人没来用餐，主管都会询问原因。

点心时间气氛非常轻松，虽只是短短 15 分钟，但可以交流情感、纾解疲劳，身心愉悦，重新回到工作岗位上。

任职于原料科的上海籍员工宋建峰回忆，刚到琉璃工房报到，就让他产生"这个地方很不一般"的感觉。"中午吃饭时，曾（志明）工程师提醒大家两件事：第一件是天气比较热，发现个别员工衣服纽扣未扣；第二件是早上扫除时，发现有人将吃完的冰棒棍丢弃在窗台上。我当时一打愣，这在国营单位是非常平常的事，工人天热上班，披件衬衣算是客气的，甚至穿着汗背心进车间。吃完冷饮，木棍、包装袋更是随处可见。"

另一件事也让他印象深刻。"我们由临时厂房搬到现在的车间，按理说搬完了也就算结束了，可是我和几位同事还是被派去清扫临时厂房，要我们把遗留下来的垃圾装袋清理；另外还把室内、室外每个角落都打扫了一遍。"付出五六个人一天的工作日，换来别人对琉璃工房的好印象，这到底值不值得？答案应该是肯定的。

"琉璃工房"员工正在集体用餐

负责上海琉璃工房一百多位职工"民生大事"（伙食）的唐洪兰，亲身体验到一丝不苟的严谨风格。她因为采购需要，公司同意买一辆人力车。买车须办牌照，她想人人都知道车是我在用，就用我的名字吧！既快又方便。大功告成，回到公司办理报销，主管却说："是公车，不可以用自己名字！"她说："我有点恼火，买车办牌照本来就很麻烦，现在又不好报销，牌照就算我送公司的吧！"正准备回家，一个人出现了，既没有责备，也没有训什么大道理，反而讲了一个小小的故事：一个养猪个体户卖出去的是头病猪，农业部门并没有罚养猪个体户，反而撤了他上司的职务。"听到这里，我几乎一下子就明白了，我二话不说，拿起资料，离开了公司。经过几天折腾，终于又办好了第二次牌照手续，"到了主管手里，因为公司名称少了'有限'两个字，再一次被拒绝。她拖着一身疲惫，再一次打扰办事人员，重新付款、盖上更改章。结果一辆人力车付了三次牌照费。也使唐洪兰看到了琉璃工房秩序井然的一面。

细心的访客可能会注意到，一跨进琉璃工房上海厂大门，就有一位保安警卫微笑迎出来，毕恭毕敬的请你填写会客单，双手奉上一张临时出入证；接着，无论走到哪里，同事间错身而过，都会点头招呼"你好"；洗手间没有异味、员工热情亲切……离开的时候，保安警卫站到大门口,举手敬礼告别。

连打电话到琉璃工房都是愉快的经验,"琉璃工房,您好!""对不起,请稍等一下,""谢谢,再见!"……。

说起来这些都是细节,但反映了一个企业的整体文化,也体现出琉璃工房在这些方面煞费苦心。每月一次的全员大会,张毅总是苦口婆心地耳提面命,甚至如果部属没有做好,台籍主管会自请处分,主动负起督促不周之责。

张毅希望这种团体的秩序、生活教育上的学习,能够从琉璃工房开始,然后将影响扩散开来,一代代传下去,培养出高素质的新一代工艺人才。

自爱互助、精诚团结

另外也表现在自爱互助的团队精神上。

早年琉璃工房的伙伴,在张大哥、杨姐以身作则领导下,吃在一起、住在一起、工作在一起,彼此个性都很了解,培养出绝佳默契以及团队力量,能够精诚无间的合作。这种组织气氛一旦养成,感染力非常强。

王秀绢还记得,台北某位工作伙伴,有一天骑摩托车出去办事,在路上发生一点交通事故,在和对方理论的时候，一时血气上涌，几乎想要拳脚相向，但转念一想，自己身上穿着印有琉璃工房标志的 T 恤，如果真打起来，人家难免误会琉璃工房，破坏公司形象。按捺火气，好言沟通，解决了纠纷。

像一颗石头投入湖心，涟漪一圈圈扩散，在上海新厂也看得到众志成城的精神。

前年 12 月，工房新添购了三座窑炉，以增加产量。但工厂新建不久，很多设备还不齐全，特别是在没有堆高机（大陆称之为"叉车"）的状况下，如何将三个重达 6 吨的庞然大物，移动 50 多公尺，实在是很难想象的事。但这并没有成为他们气馁的理由，琉璃工房的每一份子都加入行列，拿几根钢管垫在炉子下面，利用钢管的滚动，一寸一寸地向前挪。三个大炉子，不到两天就安装完成。

最令上海员工惊讶的是，几位台籍主管也加入行列，身先士卒。"原本他们只须指挥我们就好了，但他们并没有那样做，就像每一位普通的员工，亲自手推、肩扛，还因为喊口令而哑了嗓子。虽然这两天真的很累，但我们心中却是无怨无悔。只想说，在这个工厂干活'有劲'！"一位年轻职工兴致勃勃地说。

独当一面的第二代

曾听人这样说，充满理想色彩的琉璃工房好像一所学校，而"伦理、诚意、秩序"就是校训。的确，不但"校长"张毅、杨惠姗在"做中学"(learning by doing)里开创第二生涯，也培育出一群出色的年轻伙伴。

统计发现，琉璃工房员工平均年龄只有 26 岁（上海厂还更低），招聘进来的时候，几乎都是刚步出校门，完全没有工作经验；甚至很多还不是相关科系毕业的。但是短短数年间，多半已能独当一面。

以王秀绢来说，最早从担任摄影（作品）、会计，到协助张毅筹设淡水工作室、各地艺廊，乃至领导整个行销部。3 年前，奉派到上海设厂时，还不满 35 岁，两岸都有朋友怀疑，这么大一件事，怎么派了个黄毛丫头来呢？但是王秀绢的法宝就是"做中学"。从找地、谈判、签约、施工，走到哪里必带一本笔记簿，逢人就说，"我刚来，年纪轻，什么都不懂，请你告诉我怎么做，我记下来！"如今，这个留着一头齐腰长发、高兴起来蹦蹦跳跳的小女子，已经让一座占地千多坪、现代化的厂房，在上海市闵行区七宝镇矗立起来了。

再说卢文胜，还没当兵就已经进了琉璃工房，年龄

琉璃工房伙伴同心协力，用最短的时间布出现代国际琉璃艺术大展。

不大、资历却深的他，平常是位研磨专家，上臂鼓起一节节肌肉，重达几十公斤的作品在他手上稳稳当当。碰到重要展览，他立刻摇身一变，成为组装、陈设高手。例如，在英国伦敦维多利亚、亚伯特博物馆展出一件大型佛像《大放光明》，连作品带铁架高达180公分，100多公斤，博物馆专业组装人员一见，推三阻四，都不敢碰。他在展出前一天，随身拎一只小工具箱，一部分、一部分开箱、组装，有条不紊、气定神闲。3小时之后，一尊背光上天女曼妙散花的庄严佛陀，已经完整呈现在观众面前。

卢文胜的难兄难弟阿诺笑着说，张大哥在琉璃工房"导演"架式还是十足，常说一句话："不要告诉我不可能，自己去想办法，把不可能变成可能。"说也奇怪，当前提是"不要告诉我不可能"时，年轻的伙伴反而学到了穷则变、变则通，许多困难都能突围。

要就要最好的

说来不可置信，琉璃工房一年举办多次国内外展览，却没有特别负责展览的部门，每一次都是临时调集人员，组成小组，从和接洽场地（具体工作包括敲定时间、展厅、件数、包装、运输、报关、文宣、开幕式安排……"；到现场陈设（包括台座、动线、灯光、组装……）；还有人员调度、财务控制，责任都在小组成员身上。其流程繁琐复杂，没有三头六臂，还真"罩"不住。

这些年下来，伙伴轮番上阵，个个俨然展览专家。

1996 年，风闻琉璃工房企图以一个民间企业的力量，举办国际琉璃艺术大展，有些人冷嘲热讽："不自量力，到时候怎么死的都不知道？"但是琉璃工房上上下下根本没空理会这些，他们只知道"要做最好的"。展出前后，全体员工停止休假；即使是除夕夜，也只能回家匆匆吃个团圆饭，再回到现场。大年初一，照样轮值。

大展赢得满堂彩，轰动落幕时，很多员工已经一个多月没有回家了。

表面上看，琉璃工房呈现在众人眼前的，是一件件晶莹剔透、流彩光华的琉璃作品；真正想传递的，其实是创作过程中的精神及价值。

　　琉璃工房在张毅、杨惠姗带领下，大声合唱一首诚意、伦理、秩序之歌。

第四部

登高，再登高

因为向往未知，
准备飞向无垠。
冒险是造物主赐与的勇气；
明天，就要飞上青天。

第十一章

今生相随

——杨惠姗、张毅与琉璃工房

绝美精灵翱翔天际

脚踩七分，双手蓄势，两眼看牢，

心里要的，一定得到，

时间早晚而已。

——志在必得

1996 年 10 月 26 日,美国西雅图的夜晚,威思汀饭店四楼大宴会厅, 五点半就已聚集了一批悉心装扮的绅士名媛。其他略小的宴会厅,则陈列了来自世界各地的琉璃艺术品;如果再加上每张桌子上形形色色的水晶蜡烛台(由不同艺术家所设计,各有标价,也都属于当晚的拍卖品),总共超过 300 件。入夜,拍卖开始,主拍者高声邀请所有贵宾挥舞竞标牌,他说:

"摇动、挥舞! 让我们参与!

支持美国琉璃艺术!

支持全世界的琉璃艺术!

让皮尔查克玻璃学校活跃!"

蜡烛高燃、黑色晚礼服、银缎蝴蝶结、钻石、香槟……。

"一万七、一万七,请展示各位的热诚,两万! 那位五八六! 两万,谢谢爱礼士和珍妮。美国琉璃艺术谢谢你。两万五千、两万五千,各位! 两万五千。"

标牌飞舞。10 点不到,奇胡利的一组最新威尼斯吊灯系列,以 4.5 万美元卖出,买家有权指定颜色、造型以及尺寸,并配合装潢设计调整。

这是美国西雅图皮尔查克玻璃学校 25 周年的拍卖会,今年募款目标是 200 万美元,其中包括提供给 15 个国际学生的奖学金。

杨惠姗、张毅躬逢其盛,但在这样的场合里,他们想到的是:中国琉璃何时才能有此局面?

玻璃的诞生与沿革

传说中,玻璃的诞生缘起一次船难。有一群腓尼基水手,随波漂流到叙利亚海边,他们经常在沙滩上的一个土堆旁生起营火,用船上的硝块(其中含钠),架上铜炉烧水、烹食;吃完之后,又不知是谁,把鱼骨头(其中含钙)丢进火里。结果,每当余火熄灭、整理灰烬,都会发现在土堆边缘有一块块小小的、硬硬的、闪闪发光的东西。据科学家分析,这可能是因为砂堆里面含矽,碰到钠、钙等助溶剂,加上火的高温,便形成了玻璃。

不管这个传说真实性如何,史料证明,叙利亚人、埃及人、亚述人的确很早就懂得制作玻璃;希伯来人、希腊人、罗马人也是个中高手。他们分别发明了自己的独特配方,制造出的玻璃也各不相同。

随着化学知识进步,以及技术不断创新,给玻璃带来更多可能性。

19世纪末,兴起了一种文化运动,被称为"新艺术",也就是世纪末艺术。当时由于工业革命席卷欧洲,许多艺术家对大量充斥的齐一化工业产品发生反感,回过头向自然界求取灵感，例如，以动物、植物、花鸟虫鱼等作为创作题材。以玻璃作品来说，代表作品有花瓶、灯具、盘、碟等。在艺术家神思巧手装点下，十分写实、精细、栩栩如生。

此一时期大量运用多层次、重叠的技法，类似中国清代所谓的"套料"。利用多种氧化金属，如氧化铜、氧化铁等和基本玻璃原料混合而制成，在高温之下被层层套叠(色彩各异)玻璃冷却之后，将表面或阴刻、或阳刻、或用酸腐蚀，再修磨平整，一层层彩色玻璃间便显出美丽的图案。

在新艺术运动开始之前，欧洲的实用艺术一向被认为是"不纯正的或层次较低的艺术"与所谓的"纯艺术"(Fine Art, 即绘画与雕塑)比起来，一直没有独立地位。但是前面提到的这种多层次的套料器皿，不仅工序繁复，需要花费大量人力及时间，又往往不是个别艺术家所能承担。因此，当时的一些新艺术派艺术家，提倡完成一种"全方位"的艺术，把"大艺术"(艺术主流)和"小艺术"(工艺艺术)的区别泯除；他们主张，只要是能丰富人们的日常生活，艺术应该没有高下之分。

例如加利就称自己为工艺艺术家，投入玻璃器皿的制作，应用在室内设计及厨房用品的设计上，把艺术和工业巧妙融合。鼎盛时代，他的工厂雇用了450位工匠,所生产的花瓶、立灯、台灯,既是手工化的工业产品,又保持了优美及艺术性。至今在许多收藏家眼中,仍是不可多得的精品。

玻璃界另一个代表就是杜姆,在琉璃工房诞生前,它是全世界惟一能掌握"玻璃粉脱蜡铸造"技法的团体。

1991年4月,杜姆远东区总监 Cuillaume Sauzin 来台湾时,台北已有少数精品店代理杜姆作品,其中一件为画家达利所设计,标价高达93万台币。他参观完了淡水琉璃工房之后,惊讶地表示,"难以相信,我们一直以为我们是全世界惟一的!"

其他如拉力克 (Lalique)、第芬尼,也在新艺术时期引领风骚。据书上记载,后者在生产高峰期,窑炉24小时不熄火,工厂里准备了好多个大水桶,工人热得受不了的时候,就跳进水桶里冷却一下。

虽然技法不同、风格迥异,但相同之处都是融合艺术和工业,网罗一群设计师和技术人员,企业化的经营。

20世纪的演变

20世纪初,经历过一次世界大战,又出现一种"装饰艺术"。这一时期已能用现代工业的技法，大量生产高品质的玻璃。

在造型和色彩上迭有创新，如玛瑙般的彩虹光晕、蛋白石般的含蓄清新、珍珠般的温润柔软、葡萄酒般的鲜艳诱惑。

技法上则发展出数十种：吹、切、滚、捏、喷砂、抛光、热雕塑、雕刻、酸蚀、掐丝、多层（例如清朝的套料鼻烟壶）、压铸……。

当第二次世界大战空前惨烈地告终，60年代的世界，经济不景气、文化失落，虚无、放逐的气氛弥漫在年轻一代之间，美国出现大量"嬉皮"。在玻璃发展上，则吹起"工作室艺术琉璃运动"(Studio Glass Movement)的风潮。

有些人利用车库或自家后院，放一座窑炉，做一些小型创作；有别大工厂的生产，用少量成本、个人的方式，把玻璃引导到独立的、创作的阶段。后来推展至全美国，各大学风起云涌，不是纷纷成立玻璃系，就是相继成立工作室。年轻人都觉得很好玩，也孕育了一些新崛起的艺术明星。

不久，在西雅图成立皮尔查克玻璃学校，吸引各地艺术家来此。目前，西雅图是全美国玻璃艺术活动最频繁的地方。

经过多年努力，杨惠姗已跻身国际琉璃艺术的领域。图为杨惠姗与日本琉璃艺术第一把交椅的藤田乔平。

美国活跃，日本直追

纵观当今国际玻璃艺术界，不同国家各擅胜场。

美国的活动力最强，参与最积极。其中又以康宁玻璃美术馆最知名（由康宁公司赞助，该公司生产高级玻璃餐具、餐锅，但获利最丰的是太空玻璃材料）康宁美术馆出版了一本名为《新玻璃》(New Glass) 的杂志，以德

杨惠姗(右一)透过经纪人包可娜(Jitka Pokorna)(中)，
结识捷克琉璃艺术家佩弗哈瓦(Pavel Hlave)。

文、英文同时向全世界发行，每年一度征选新作品，刊
登于该杂志上。

　　日本虽然起步比较晚，却戮力直追。

　　到1998年，日本以玻璃为主题的美术馆，已经超过
250家。

　　在金泽外海的能登半岛，有一座著名的玻璃博物
馆。当地的政府为了呼唤远赴大都市发展的年轻人，回
到人口严重流失的故乡，与日本玻璃艺术界名人由水
常雄合作，设立此一博物馆。不但提升了地方知名度，
使年轻人有归属感；而且还以博物馆为中心，规划了半
岛附近的温泉乡，使之成为一处观光胜地，也制造了更
多理想的就业机会。每年到此参观的人次超过40万。

日本除大量斥资收集杜姆、拉力克的早期作品，并透过大商社、大报纸支持，一年举办国际性的比赛、展览约30次，每次奖金高达二三十万元台币。常见的操作方法是，先邀请一个国际评审团，交通食宿全部招待，然后向全世界广发"英雄帖"，随着艺术家寄来作品的幻灯片接踵而至。经过初步过滤，稍有名气的列入特展贵宾；藉藉无名者则和日本新一代艺术家一起评比。评审后往往前三名里面一定有一个日本人，既抬高日本新艺术家身价，并直接推进国际舞台核心。

法国玻璃工艺可说源远流长，今日也还是市场要角，不同品牌各有诉求重点：拉力克的磨砂、巴卡拉特(Baccarat)的雕刻、杜姆的脱蜡铸造等。在台湾，这些品牌已陆续开设专柜，其中杜姆为因应蓬勃发展的亚洲市场，近几年风格大变，甚至推出如《龙》、《蟾蜍》(台语"招钱")等作品(嘴里还真的衔了一枚中国铜钱)。

至于捷克，在铸造、切割、抛光等技法上独步全球，玻璃工艺历史上溯700年，玻璃工艺学校则是从小学开始。著名的李宾斯基和布勒赫特瓦夫妇 (Stanislav Linbensky and Jaroslava Brychtova) 夫妇就是捷克玻璃艺术界泰斗。

另外，奥地利著名水晶品牌"史瓦洛斯基"(Swarovoski)，以丰富精巧的切割技法，制造出多面折

射、晶晶亮亮的装饰品、首饰、礼品,抓住许多女性及年
轻消费者。

意大利玻璃重镇

意大利也是玻璃重镇,慕拉诺岛已有 400 年历史,
举世闻名。岛上放眼皆为玻璃工作室,而且几乎都是世
代相传,养深积厚。近几年发展成观光客最爱造访之
地。

杨惠姗、张毅两人曾在意大利慕拉诺,拜访用一辈
子热情与心力浇灌玻璃艺术的前辈大师瑟古索 (Livio
Soggoso)。

瑟古索住在一幢有 500 年历史的老房子里,虽然
没有现代化卫生设备与铝门窗,风一吹来,木板窗户发
出哐啷、哐啷的声响;但室内的挂画、摆设和收藏之丰
富,在散发出卓绝品味和生活气质。

威尼斯之旅,除了对大师艺术执著的感动,更带来
严肃启发。

他们发现,一个国家的艺术环境,是整体的结构,
不但有家族、学校、师徒传承;还包括文化的、历史的、
技法的、社会的背景,彼此环环相扣、汇聚依托,叫人既
羡慕又忌妒。 例如在法国卢浮宫,常可以见到十一二

与意大利琉璃艺术家瑟古索。

岁的孩子坐在地上画素描，已经出手不凡。走访日本京都著名陶器"清水烧"，艺师们的名片上动不动都印着"二十六代"、"三十七代"；和他们交谈，如同和背后世世代代的祖灵对话。

反观台湾的文化艺术工作者，处境如同作家黄春明所说——就像四楼阳台上的番茄树，飞来一颗种子，只要有薄薄一片砂土，就兀自在墙角挣扎长大起来。

"作为中国艺术琉璃第一代，"张毅正色说道，"希望我们倒下之后，化做春泥，滋养下一代。"

中国缺席百年

坦言之，台湾，甚至整个中国，在世界玻璃艺术发展史上，过去一百多年根本就是缺席、疏离、蒙昧的。幸好，在花团锦簇的世界玻璃艺坛，还出现了琉璃工房这朵初绽蓓蕾，希望假以时日，会是一丛怒放锦绣。

世界玻璃艺术王国捷克，有一对最受尊敬的 20 世纪艺术大师李宾斯基夫妇，老先生看过琉璃工房的作品之后，紧握杨惠姗的手，诚挚地说："你的成就，太了不起了！"他的夫人布勒赫特瓦女士也指出："我和李宾斯基在玻璃艺术界 40 年，尝试经历过所有创作心路，但是在琉璃本质上的思考心得，诸如内在空间、内在光线的特质，都是近十年的事。你的作品，创作历史不过七八年，可是，我已经看到你来到核心了。"

1996 年 11 月，由法国文化部策划的"法国玻璃展"在台北市立美术馆展出，文化部支持的艺术研究机构——法国马赛国际玻璃暨造型艺术研究中心（CIRVA）馆长吉松（Frangoise Guichon）及资深艺术指导芙克曼（Hanneke Fokkelman）来到台湾，要求参观琉璃工房。

众所周知，法国知名水晶玻璃品牌杜姆为了保护企业生存，有关脱蜡铸造技术细节向来秘而不宣，当年

与捷克琉璃艺术大师李宾斯基夫妇在一起。

也曾将张毅、杨惠姗摒于门外。如今法国人来参观,琉璃工房表现得心胸开阔、落落大方,让吉松相当意外。她深深感叹:"法国号称是脱蜡铸造的国家,我却在这里才亲眼见到。"

从他们口中得知,法国政府及马赛市政府,每年划拨 350 万法郎补助,使参与 CIRVA 的艺术家无后顾之忧,得以自由发挥创意。CIRVA 虽然也将部分实验成功的作品限量生产上市,销售却不是最重要的事。

台湾琉璃艺术工作者并非没有实验的能力,而是没有实验的"本钱",何时台湾才会有自己的 CIRVA?

琉璃工房并未因此怪怨、丧志,张毅认为,当务之急是"先存在、壮大,才不会失之空洞",他们不寄望政府力量，因为自己的路仍必须一步步自己走，逐渐造就成熟的、足以孕育创意，且自由驰骋的大环境。

"十年磨砺，成就事业……锲而不舍，金石可镂，"中国文学艺术界联合会副主席高占祥，在1998年琉璃工房上海展之前说："这是难能可贵的艺术家的责任和忠诚，他们无愧为'中国现代琉璃艺术的奠基人和开拓者'。"

第十二章

今生相随

——杨惠姗、张毅与琉璃工房

要中国琉璃向世界说话

属龙的,终究要起八方风云;

志在青天的,终非池中之物。

——终非池中之物

"当我真心在追寻着我的梦想时，每一天都是缤纷的，因为我知道每一个小时都是在实现梦想的一部分。每当我真实地在追寻着梦想时，一路上我都会发现从未想象过的东西，如果当初我没有勇气去尝试看来几乎不可能的事，如今我就还是个牧羊人而已。"在畅销书《牧羊少年奇幻之旅》中，主人翁圣迪雅各秉持这样的信念，完成了一趟奇幻之旅。

11 年来，琉璃工房的作品已在世界五大洲展出（详见附录二），1998 年底，台北年度大展辉煌落幕之后，立即迎接 1999 年奥地利民俗艺术博物馆的展览。20 世纪结束前，相信琉璃工房将交出一张傲人的成绩单。

在这一趟旅程中，他们又是秉持怎样的信念呢？

总方向规划者张毅的思路非常宏观：所谓中国琉璃，其实是相对的概念，如果不能走到国际上，中国琉璃的意义就不完整。他 10 年前就设想到，琉璃工房未来必须有一个很大的交流腹地，不能封闭在自己的小圈圈里；国际琉璃和中国琉璃一定要并行，放在世界性格局里，中国琉璃的内涵才会圆满。"没有国际，何来中国？中国琉璃强调新的民族文化尊严，如果没有相对、呼应的国际座标，要尊严做什么？"

咫尺天涯闯扶桑

琉璃工房国际座标的第一点为日本。

地理上,日本虽近如隔邻,琉璃工房却走了好多冤枉路,才在扶桑国站稳脚跟。

友人张光斗生动记述了这段"咫尺天涯"的经过:"7月的大热天,张毅由资深国立艺专陶瓷教授吴毓棠陪同,前往东京。在日本有绝对资格被推崇为'人间国宝'的吴老师,只因为心疼这群'憨人'的傻劲,翻出了日本旧识同窗好友的名簿,登门拜访。高龄80的吴老师与张毅见了不少陶瓷专家,又辗转去访问多家水晶工艺工房与百货业者,所获得的回答往往是日本最通常的模式:奉上两杯茶,然后是最得体的莎哟哪啦。我,就是此情此景的见证人。"

在保守、封闭的日本社会(张毅形容其结构为"滴水不漏"),与日本人打交道本来就非常不容易,纵使有天大才干与本事,甚至有利润极丰的生意摆在眼前,如果没有适当的中间人(此人须受到日本人信赖,而且最好本来就是日本人)穿针引线,很难打进他们的社会与商业系统。

一直到两年后,陆续来过台湾100次的日本美术工

1992 年，琉璃工房突破一向封闭、保守的日本社会，于东京银座三越百货举行前所未有的中国琉璃艺术展。图右二为歌手文章。

艺经纪公司 (Japan Arts) 负责人后藤康策，经由吴毓棠老师介绍，到琉璃工房走了一趟。回到日本，后藤马上发来传真，表示有意将琉璃工房的作品引荐到日本市场。

　　第一次展出是在银座三越百货公司。

　　好奇的读者一定会问，为什么不在一般艺廊、美术馆，而在百货公司办展览呢？

　　日本艺术品展出可以分成几个不同管道，包括美术馆、博物馆、一般艺廊以及百货公司的艺廊。如果希望作品能够广泛地和群众接触，并且产生收藏行动，也就是实际销售，在百货公司艺廊展出最为理想。各大百货公司几乎都定期推出本国或国际性美术展览，大约占全日本美术活动的 65%。由于成败立见，没有坚强实力，是经不起大众考验的。

日本权威性杂志《月刊美术》资深记者小见浩二，在那次展出前特别来台访问琉璃工房，并以三页彩色、三页黑白大篇幅报道。他在采访中很直率地询问：银座是东京最贵地段；三越又是银座最贵的中心点，琉璃工房究竟有何能耐，打进铜墙铁壁般的银座三越？

后藤康策回答，他搜集过很多台湾艺术作品的资料，直到"遇见琉璃工房这样高品质的制作"，才首度在兴奋的情绪下，主动接触、签约，并不遗余力地推荐给日本艺术界。

虽然琉璃工房是 90 年来第一个打入银座三越艺廊的工艺团体，仍须受大环境考验。1992 年，日本泡沫经济造成股市大跌，美术工艺市场首当其冲。三越艺廊私下表示，如果保住 300 到 500 万元日币的营收，应该算是成功了。

怀着忧喜参半的心情，张毅、杨惠姗来到日本。

在经纪公司安排下，一个接一个的拜会、宣传活动，从早到晚，走路、赶地铁，一天下来，回到饭店，往往两只脚都会抽筋。

皇天不负苦心人，开幕酒会便盛况空前。欧阳菲菲、翁倩玉、林海峰等旅日同胞与日本各界知名人士共

1992 年在日本展出时，名歌星，也是好朋友欧阳菲菲特别来庆贺。

襄盛举。结算下来，营业额高达 3000 万日元，其中有三件更是展前就被收藏家预定了。展出最后一天，三越美术部长亲自带着礼物送给杨惠姗。

这项以杨惠姗 (Lorretta Yang) 为号召的展览，带着她曾为影后的光圈，一系列融合中国传统与现代气息的作品；精准的脱蜡铸造技法；强烈的人文思想，引起热烈共鸣。《产经新闻》给她下了一个多重意涵的标题——"华丽转身"。

第一仗打得漂亮，接下来又在大阪崇光百货、高知三越百货、横滨松板屋百货……展出，用汗水及毅力灌溉出的花朵，在日本灿然绽放。

作品奉纳奈良药师寺

进军日本,初步建立起国际知名度,不但作品"大药师琉璃光如来"被收入由水常雄主编的《世界玻璃美术全集》第六卷"现代卷"(The Survey of Glass in the World,株式会社求龙堂出版);还结下一段奇妙佛缘。

话说多年以前,张毅首次东渡扶桑,买了一本有关奈良药师寺的书,后来杨惠姗以大殿中那尊药师琉璃光如来为蓝本,完成了古今中外第一尊琉璃材质的药师琉璃光如来,并带到日本展出。

展出中某一天,艺廊店长气喘吁吁跑来通知:著名高僧、奈良药师寺馆长(住持)高田好胤下午要来参观。果真,午后不久,有着张满月脸,一团和气的高田住持来到艺廊,仔细欣赏杨惠姗的作品。走到那尊药师琉璃光如来前,高田住持动作忽然放慢,缓缓蹲下去,神情专注地凝视良久。

临走,他对店长说,如果这尊琉璃光如来完成了(当时还没有做背光),不晓得可不可以让药师寺收藏?

送走高田住持,在场的日本人都非常激动。一位女业务员热泪盈眶,拉着杨惠姗的手,喃喃反复:"杨さん(小姐),太好了!真的太好了!"

　　如此激动当然事出有因，奈良药师寺不但在佛教界地位崇高，在艺术收藏界更是权威，例如画家中间，只收藏大师平山郁夫的作品。

　　一年后，作品完成，高田住持决定举办一个庄严的"奉纳大典"，并亲自主持。杨惠姗和张毅再度造访奈良药师寺，圆满这一段因缘。

　　其中发生过不为人知的小插曲。

　　奉纳大典前一天，杨惠姗小心翼翼亲自去开箱，赫然发现佛像断了一根手指，正慌张、懊丧间，高田住持走进来，他们只能硬着头皮据实以告。没想到胖和尚笑

琉璃工房第一次东渡日本，日本著名高僧——奈良药师寺院长高田好胤（右）被展览中的"药师琉璃光如来"作品深深吸引，当下决定收藏，并于一年后举办隆重的奉纳大典。

开一张圆圆脸,直说"没关系!没关系!"猜猜怎么着?大殿里的那尊琉璃光如来,手指也断过的(从 X 光片可以看出来)!更巧的是,断的还是同一根——右手无名指。也就是日本人说的"药指"(因为研药、敷药都是用这只手指)。高田住持语带禅机地说:"也许是负担太重了吧!"

1996 年,杨惠姗再次以"人间八千亿万佛"为主题,在东京日本桥三越百货艺廊展出。奈良药师寺馆长高田好胤亲自引荐;日本当代最重要的画家平山郁夫题词;日本最著名的琉璃艺术家藤田乔平也来欣然道贺。

三越百货以 300 年历史,在百货公司艺廊中地位崇高。整幢为巴洛克式建筑、融古典与现代为一炉的日本桥本店,更是艺术家梦寐以求的圣殿。有人形容,进过日本桥,身价立刻暴涨 3 倍。

杨惠姗并不关心作品价格是否涨 3 倍,在她心里,发扬民族尊严,重于个人艺术地位的认定。

"金佛手"扬名意大利

国际座标中另一个联结点是意大利。

1992 年,意大利威尼斯国际透明艺术大展。

展览前一天傍晚,张毅、杨惠姗坐水上巴士到达展

今生相随——杨惠姗、张毅与琉璃工房

览场地——一座位于圣马可广场附近的教堂。天光将尽，古老建筑内部晕晕昏黄，偌大 Zetallei 教堂，陈列了来自全世界的玻璃艺术作品。由于参展作品是由一家捷克艺廊代理，他们自己也不晓得被摆在什么位置，东绕西转，还是开口问问吧！拦住一位又高又帅的意大利人，一句话语音未歇，对方已经睁大眼睛，满脸惊喜，"喔！你就是那位东方女性！"

原来参展作品"金佛手药师琉璃光如来"，金箔华丽、佛像庄严，充满东方精神，早已是众人谈论的焦点。

当天晚上，他们参加一个欢迎晚宴，陆续有人上前致意。其中一位法国艺术家安东尼·李伯利（Antoine Leperlier）也是专攻脱蜡铸造的，兄弟二人，出身玻璃世家，继承外祖父德克西蒙（Decochemond）的窑炉，11 岁开始进入这一行。在法国，由一家著名的艺廊（International Gallery of Verre）代理，作品非常受欢迎。

以下是当时的场景和对话。

"杨女士，请问你从事脱蜡铸造多少年？"

"6 年。"

"呕！"双唇圈成一个大大的〇形，表情说不出的复杂。

"那你是怎么学的？"

"自己学的!"眼睛瞪得像铜铃,转过身把他的经纪人抓来,结结巴巴转述:

"她说、她说,她竟然是自己学的。"

随之而来的经验,更让人兴奋。

一天后,两人应玻璃大师瑟古索之邀,在一家靠近运河的露天餐厅晚餐。不少艺术家来和大师打招呼,但对于坐在一边的东方男女,几乎当他们不存在。

远远,晃过来一位意大利帅哥,架副宽边新潮墨镜,很有几分老牌影星安东尼昆的"吊儿郎当"味道。这也是一位玻璃艺术家,和大师谈起正在举行的展览,先是以轻蔑的口气说,那么多作品,没什么特别精彩的;紧接着提到:"但只有其中一件,是大家看了之后不知道怎么做出来的。"瑟古索神秘一笑,向他介绍,"金佛手"的作者远在天边、近在眼前。那帅哥喜出望外,连忙摘下眼镜,用意大利人最夸张的方式,又行礼、又吻手,忙不迭表达最高的赞美、敬意。

当时他们心中大为震动,在国际玻璃工艺界,意大利、捷克、法国,少说都有 100 年历史,琉璃工房不过是最新加入的成员,不敢奢望马上就有很高评价,"最重要的是让世界注意到,中国琉璃已后继有人。"

国际大展，名家汇集

总结数年国际交流经验，琉璃工房再一次爆发惊人能量。

1996 年，台湾"第一届国际现代琉璃美术大展"开锣，从台北国际会议中心、高雄新光三越百货、台中中友百货到台南中华日报大楼，全省巡回。

虽然门票 150 元，国际会议中心仍成为春节热门去处，每天排队人潮都围了建筑物两圈。为维持秩序，一次限制进场 5 个人。一位熟朋友后来见到张毅，忍不

美国吹制艺术玻璃的代表人物 Mr. Dale Chihuly 到淡水琉璃工房参观，与杨惠姗、张毅合影。

住"夸"他，"真是太成功了，害我足足排队 2 小时。"

成功来自国人的参与，也标示着台湾正式进入国际琉璃艺术之林。

"国际现代琉璃艺术大展"邀请 40 多国、约 45 位艺术家、两百多件琉璃艺品来台湾展出。对于世界当代琉璃创作的全貌，提供了一个完整的轮廓。展出期间，还邀请了 5 位世界重量级名家：捷克的李宾斯基和布勒赫特瓦夫妇、意大利瑟古索（临时因胃溃疡恶化未能成行）、美国的奇胡利、日本的藤田乔平来台，亲临会场指导。

瑟古索生于意大利玻璃重镇慕拉诺岛，以玻璃艺术为一生志业，数十年鲜少离开岛上，擅长以纯粹的玻璃本质做几何造型。一件手工琢磨、精致精准的作品，常须耗时数年。

奇胡利把吹制玻璃转化成美国摇滚乐般的狂野奔放，应用于大型装置。在他手下，一朵朵漩涡般、仿佛会飞舞的巨花，线条优美，表达无法抑制的喜乐。

藤田乔平浸淫玻璃艺术 42 年，保持传统的严谨恭敬，作品源于日本漆器及莳绘的概念，将琉璃纹理与黄金、白金融合。一个个简洁的琉璃盒，或飘落几瓣樱花；或纷飞瑞雪。澄净、从容而静谧。

李宾斯基曾任布拉格工艺美术学院玻璃系主任11

年,夫妻俩将玻璃还原为单纯的雕刻材质,强调玻璃体内线性和光线的互动。或如海洋般深邃;或如宇宙般神秘,散溢令人难以抗拒的诱惑。

杨惠姗展出新作"千佛"系列,脱离了以往工艺性、设计性的限制,进入人文思考的层次。一个8年之前的门外汉,竟能与世界级大师并列,弥足可贵。

圆满 10 年梦想

琉璃工房成立的第一天,这项展览就在计划之中,"以前我就告诉新进人员说,"张毅满怀憧憬:"有一天,我会让你看见李宾斯基坐在这里说话。"

虽然肢体动作幅度不大,但由他丰富的表情、生动的语言可以感受得到,面前这个人是个勇敢的梦想家。

张毅回想,早在10年前,在国际玻璃艺术界一个人都不认识(当然,也没有人认识他!)已经想要办一次国际琉璃艺术大展。最早和纽约重要的玻璃艺廊——海勒艺廊洽谈,怕自己英文不够好,还特别请两位久居美国的朋友当左右护法兼翻译。他希望海勒出借100件作品,保证可以卖掉其中两成;但对方要求每一件都付足40%订金,张毅碰壁而归。

下一年，再度扣关。既然对方势利，就用势利手段对付他（以子之矛，攻子之盾）。这一次摆出惊人排场：住在麦迪逊大道最高级的旅馆；全身名牌"雅痞"打扮；一天花 5000 元台币租一辆大轿车。除了到各艺廊拜访，一进入海勒艺廊，二话不说，先买 5 件作品，杀杀他的锐气。钱砸下去，开始有善意回应。一年之后，琉璃工房在诚品艺廊首展，麦可·海勒(Michael Heller)还寄来一封祝贺信。

那年起，张毅和杨惠姗开始有计划的、密集的全面拜访全世界重要玻璃艺术家，并收藏他们的作品，李宾斯基夫妇便名列第一批拜访名单之中。

透过奇胡利的介绍，他们听说瑟古索身体不适，还专程飞去意大利探望。

琉璃工房其实很清楚，办这样的展览，是有些不自量力（"好大狗胆"，张毅语）。作品总价值约新台币 1 亿元，报关时才发现，公司的资本额不够大，不符规定；当应邀艺术家来回机票都安排妥当，日本的藤田乔平又因为华航名古屋事件，要求改搭别家航空公司的飞机；200件作品经海运、空运到台湾，海关却要求有相关机关准许展出的公文，被扣住两星期；布置展场时，伙伴们叫苦连天，因为几件大件作品重达 300 公斤……

琉璃工房抱着"不要给别人瞧扁"的志气，工房所有伙伴,从农历年前 10 天,到全省巡回展出期间,一律禁假,集中住在工房,随时待命。

而总投资高达新台币 2600 万元,无论展出场地、现场陈设、目录、全程导览,都办得风风光光、体体面面。贵宾全部享受来回商务舱,下榻五星级饭店,还分别为藤田乔平、李宾斯基聘请日语、捷克语翻译人员。奇胡利的工作室经理大开眼界,赞不绝口;李宾斯基也说,他走遍全世界,都是各国政府或博物馆邀请的,从来没想到一个私人团体可以做得这么好。

艺术界人士同意,台湾的成熟度,原来还不足以办这种大展,琉璃工房快速拉抬台湾艺术玻璃水平,将原本处于边陲的艺术领域,带到世界的中心。最大的意义是,告诉世人,从此以后,我们不再缺席!

琉璃辉映东方明珠

香港,兼具东西方文化特色的海上明珠。1996 年 2 月,琉璃工房首次在香港徐氏美术馆展出。

透过香港最富盛名的"孙泳恩公关公司"介绍,杨惠姗、张毅顺利见到徐氏美术馆负责人徐展堂,短短交谈几十分钟,徐先生十分感佩他们的精神,随之慨然允诺,协助展出。

徐展堂先生,曾被香港美术鉴赏及收藏界,推为重要舵手。徐氏美术馆中所收藏的中国美术品,是当代华人收藏品质及数量之最;尤其是中国古琉璃,藏品之精美,执世界牛耳。香港古董界曾戏称:徐展堂一手炒热了清代琉璃的市场。

这一项名为"情牵中国琉璃"的展出,在徐展堂先生精心安排下,让中国古今琉璃艺术,相互辉映。号称从不收藏中国清代以后琉璃作品(也从不举办现代艺术品展览)的徐氏美术馆,更首次破例收藏"金佛手药师琉璃光如来"。这项殊荣无疑肯定自清代琉璃艺术中断之

1996年香港展演艺界人士来祝贺,右为香港
演员梁朝伟,以饰演韦小宝出名。

后，琉璃工房已成为传承中国琉璃艺术的代表。

琉璃工房行销部协理张刚记得，在徐氏美术馆展出时，有一位小姐每天都来，直到最后一天，她非常激动地说，"过几天我就要移民了，身为在殖民地成长的中国人，我一直很想做一件事，就是找回中国人的尊严。虽然遗憾自己没有做到，但是在琉璃工房的展览里看到了，我非常感动。"

立足本土，放眼世界

1998 年，是琉璃工房国际活动中另一个高潮。

春末，英国伦敦的天气乍暖还寒，新绿与繁花却已等不及向人间报到，水仙、绣球、紫藤，丛丛团团、嘻嘻笑笑，迎接美好春光。

四月底，张毅、杨惠姗领军飞往伦敦，在英国最富盛名的维多利亚·亚伯特博物馆，揭开"杨惠姗中国琉璃艺术展"序幕。

这项展览别具意义。

第一、展出期间长达 6 个月，估计有数万名英国人及来自世界各地的观光客，将看到中国琉璃的璀璨光彩。

第二、英国国立维多利亚·亚伯特博物馆，是世界上收藏应用美术品最权威、最受推崇的博物馆，馆藏世界各国工艺美术品超过 100 万件。建于国力鼎盛的维多利亚女王时代，由王夫亚伯特亲王亲自设计规划，整体呈现新文艺复兴时期风格，既有宫殿式的华丽，也有博物馆式的恢弘。四层楼建筑，共有 145 个展示厅，展品包括希腊、罗马、基督教及文艺复兴时期，以及之后的欧洲应用美术。并藏有丰富的东亚美术品，香港著名收藏家徐展堂先生，还捐赠了一座"中国馆"。

由于它在世界工艺美术博物馆中居龙头地位，每一项展出都必须至少在两年前提出申请，加上英国传统而严谨的审核作风，能进入这个博物馆展出，本身已是一

1998 年 4 月，张毅与杨惠姗领军飞往英国伦敦，在最富盛名的维多利亚·亚伯特博物馆举行艺术展。图右起为馆长艾伦·柏格(Alan Borg)、杨惠姗、郑文华、张毅。

今生相随——杨惠姗、张毅与琉璃工房

大认可。

第三、该馆破格（据工作人员透露，这是他们第一次收藏"还活着的人的作品"）收藏了《大放光明》、《并蒂圆满》两件作品，收藏仪式由馆长柏格（Dr. Alan Borg）亲自主持，致辞时表示，该馆一向"只收藏工艺美术品中最好的"。

该博物馆季刊《工艺》(Craft) 杂志形容杨惠姗的作品："为传统器物赋予了宗教理念的新诠释"；"杨惠姗的琉璃艺术创作思考，融会了她对中华文化深刻的理解，以及对现代设计的渊博体验"。

郑文华先生在参观完之后快慰地说，杨惠姗的琉璃作品足以向世人宣告，中国是一个有五千年历史的民族，但不要以为我们只有故宫，自清代之后，中国人艺术的原创力(originality)并没有消失。

回顾这一段在国际上奋斗的历程，张毅认为是非常好的学习经验。而从传播的角度，琉璃工房目前仍处于一个急于"告知"的阶段，所有在国外展览之后取得的认可、所累积的资源，必须要能够回馈到台湾社会。"我们有多大智慧不重要，路有多长不知道，反正目的地很清楚——要中国琉璃向世界说话！"

第十三章

架构文化运动

气，当开始之后，就世世代代永不
停息；
寰宇中，揣摩一股沛然不止的力
量。
惕励自己,感觉它,进入它。

——天行健

　　"琉璃是中国的传统艺品之一，是工艺美术园地里的一株奇葩，有着感人的魅力。因其独辟蹊径、自成体系、风格独特、色彩鲜明，故在全球玻璃艺坛上占有一席不可忽视的地位。"北京故宫博物院副院长杨伯达，提到琉璃工房承前启后的历史使命时，心有戚戚焉地说："但是，长久以来，富有个性的中国玻璃工艺，被误解为外来产物，或曰来自大秦、或曰来自月氏国，一时之间中国琉璃外来说甚嚣尘上，中国琉璃及其成就都被一笔抹煞。现代考古学揭示了我国最早的自制玻璃的客观存在，这才纠正了上述的误解，将中国琉璃的真实历史呈现在人们面前。"

　　"近来琉璃工房作品的突然面世，令人喜出望外、叹为观止，乍一看上去，这些精美作品出现得实在太突然了，何以一朝便涌现这般多精美玻璃艺术品？但仔细想想就会领悟，这种偶然现象里确实蕴藏着历史必然。……琉璃工房创作了一批洋溢着传统格调，又蕴含现代意识的艺术玻璃，重新点燃了复兴艺术琉璃的火炬，照亮了我国艺术之路。"

　　"琉璃工房的水晶（亦称玻璃粉脱蜡精铸）脱蜡精铸工艺，与春秋时代青铜铸造的'失蜡法'有相通之处，所以应该承认，（琉璃工房）的工艺，确实有着深远的、不为人们察觉的历史的、民族的传统渊源，同样，这也是一种历史必然。"

"总而言之，琉璃工房的建立，及其杰作的问世，标志着我国传统的艺术琉璃业已复兴，并在高难度、新技术的基础上，大胆地革新，使民族的优秀传统，与当今的时代意识水乳交融，获得了极大的成功。"

琉璃与花艺共生

不错，琉璃工房的诞生，如同漫长休止符后的新乐章，正谱奏悠悠扬扬、绵延不绝的音符；除了担负起中国琉璃工艺传承、发扬之责，并从纯粹工艺的创作，架构出一个充满社会使命感的文化运动。

一系列"种子计划"是这个文化运动的活泼衍生。

1996 年，春雨丰沛、土沃气聚，埋下第一粒种子——"琉璃与花艺共生"展览。它引导工房伙伴以广阔的视野，开放琉璃与花的空间；结合装饰艺术的概念，运用琉璃、木材、铜线等不同材质的结合，尝试创造一个新的格局。

在整个筹备过程中，杨惠姗形容自己有着"妈妈的心情"，提供经济支持，开放所有工房设备及资源，培育琉璃新生代。

一位伙伴这样记载当时以全副身心投入的景象。

"夜里 11 点，无月，琉璃工房灯火通明，震耳欲聋的机械声，伴随着令人情绪高昂的热门音乐，在持续了 13 个小时之后，未见疲态，尚且甘之如饴。大家都有些痴狂而不能自己。偶尔间杂着狗吠声，是在抗义主人们的扰人清梦，抑或是在帮主人们打气加油？每个人、每只狗、每棵树、每根草，心绪有如冲击拍打到石岸上的浪花，奔腾、奔腾、奔腾。"

这次展出与"中华花卉文教基金会"携手，每一件作品都经过与花艺老师不断沟通之后完成，借此机会，年轻人学到如何与人沟通，体会艺术与自然的关系，发展出成熟的伦理观念。

小小琉璃艺术家

琉璃工房更把教育、传承的种子洒向社会，与台中自然科学博物馆合作，举办了"琉璃小工房——和杨阿姨一起做中国琉璃"的活动。这项活动共有 160 位年龄在 7 到 12 岁之间的小朋友参与，由杨惠姗讲解琉璃制作方法，并现场做吹制、铸造的示范教学。每个小朋友都有机会用雕塑原型，然后由琉璃工房代为烧铸，后于科博馆展出。

这是台湾首见的琉璃"DIY"活动，参与的孩子将成

1997 年元月，台中科博馆琉璃小工房活动。

为世界最年轻的小小琉璃艺术家，招生消息一经披露，科博馆的电话就没有停过，传真机里也不断吐出报名表，第一天名额就满了。

按预定计划，只准备替 30 位评选出来的小朋友完成作品，后来不忍心让大多数孩子失望，决定腾出窑炉，停止正常生产一星期，把所有原型（165 件），全都烧制成剔透美丽的琉璃作品。也许，台湾有一天会诞生一位琉璃艺术巨匠，在撰写回忆录的时候这么说："我艺术生命的启蒙，就是在那一天，杨阿姨扶着我的手……。"

主要策划者张毅表示，在今天的社会，由于上一代成长过程中物质匮乏，当自己环境改善后，就怕孩子劳动、受苦，把劳动的价值都泯灭了，破坏了人对劳动的尊敬。琉璃工房期盼借由这个活动，慢慢建立新的价值

观。让小朋友透过实际动手做,领悟自由创意和工艺规
范间的秩序关系。同时,推展传统工艺美术所蕴含的伦
理训练和社会教育,降低弥漫于社会的不安、暴力。

"我们真正关心的是生活环境;是整个中国人的未
来。"他语重心长。

广泛的美学延伸

透过十几年的学习,琉璃工房深深领悟出:琉璃是
一种文化,可以在生活里练习、品味。琉璃作品不应该
是放在博物馆里,隔着橱窗,只能远观、难以亲近的;而
是可以透过一张桌子、一只杯子、一盏灯,在生活每一

杨惠姗设计的饮料瓶。

层面广泛利用的美学延伸。

1997 年，他们接受味丹企业委托，作了一次大胆尝试，涉足果汁饮料瓶设计，首开饮料界与艺术界合作的先河。

盛夏，正是饮料市场短兵相接的旺季，在不下千种饮料中，忽然跑出一匹黑马。味丹企业推出"SIX 水果离子"，容器为一只细长圆锥体、雾面处理过的玻璃瓶子，碎碎的果肉，在其间自由漂浮。虽然以容量来说，250cc 售价 25 元，比其他饮料高了约 3 倍，但仍抢下销售 450 万瓶、该年果汁饮料(不含气)冠军的宝座。

这组由杨惠姗亲手设计、雕刻的玻璃瓶共有三款，分别是牡丹、菊花、水仙图案，造型优美、质感精致、触觉舒适。很多消费者猛然看到这么典雅的瓶身摆在饮料冰柜里，都有点不敢相信，"这里怎么会卖香水呢？"

接着某些消费者根本是冲着瓶子来买饮料的，喝完后，清水里涤净，摇身变为案头、窗前的美丽风景。甚至还有人摆在橱窗里当作收藏品，换言之，这可以说是一支"环保饮料瓶"。

饮料瓶也能传达文化之美，恰恰切合琉璃工房"生活即艺术"的宗旨，"工艺美术浅显易懂，是一种容易接近的文化活动。是不是可以透过文化在生活里的练习，阶段性变化社会的气质，有助人心安定？"张毅道出这次新尝试的初衷。

基于同一概念，琉璃工房开始涉入建筑、家饰设计、生活用品等领域。

一套创意杯组，包括茶碗、咖啡杯、果汁杯、糖罐等。基调为紫罗兰色，杯身为陶瓷，杯耳则是透明的琉璃。将两种"火的艺术"融合，不但在创意上跨出一大步，技术上也是勇敢的突破。

抚平鬓角一缕发丝，优雅自信，杨惠姗双手摩挲一只咖啡杯，娓娓诉说它的身世："由中国古代"谷粒纹"演化出的环形曲线，仿佛无止境的围绕着杯身，如天地六合融而为一。这象征着对自然界生生不息的感激和

在台北天母艺廊，桌上咖啡杯为她的作品。杯身为瓷器，把手为琉璃，两种材质的创造性结合。

敬畏，中国自古借此引伸出伦理道德的观念，使一颗小小的谷粒，发展出天人合一的无垠扩张。"

琉璃是光的艺术，开发照明系列，对琉璃工房而言，似乎理所当然的，光影翩翩起舞的同时，也辉映出琉璃工房的文化理想。

其中一组灯饰为圆形底座，代表宇宙；从宇宙上伸展开来的，是三片圆弧形玻璃，第三片喷砂玻璃上篆刻着佛经，代表宇宙运转的规则，而人的意念在融入自然、顺应天意后，会像第一片玻璃上特意设计登高的"磐虎"一般，登临到宇宙的最高点。

还有一组灯，透过十片不同高度玻璃的组合，成为立体半圆柱形，再嵌入琉璃玉璧，在半圆底座的宇宙上旋转飞翔。从横切面看来，整座灯仿佛花瓣般散开；再从另一角度看，又似观世音菩萨的莲花座。

几千年的中国，

难道只有一盏长信宫灯，

从汉代一直到今天？

中国人的生活里，经济蓬勃至此，

难道只需要功能性的照明？

琉璃工房一心在中国人的生活空间，

点起一盏中国情感的灯，

当夜深人静，

一灯照亮的不只是空间，

而是人的心。

让灯，是冥想的对象，

是安静心田的泉源，

是当代中国的光。

张毅在作品说明中吐露心声。

天母艺廊，梦想成真

至于建筑及家饰设计，位于台北市天母国小边的"天母国际琉璃艺廊"，是他们把梦想化为现实的第一步。

很多人初至这家艺廊，都会有"触电"的感觉，情不自禁睁大眼睛：首先看见黑色门面配红白店招，大方而抢眼。如意门把、贴着金箔、镶嵌各色琉璃的大门，以绝对人文、绝对自信的姿态迎接来客。这扇门，依据光线的流转，呈现出多姿多彩的风貌。白天，适合从室内透望门外，赞叹天然日光与琉璃交叠，七彩缤纷；晚上适合向里看，室内的灯光经过折射、变形，呈现魔幻般的惊奇。

天母艺廊面积 150 坪,"实验"意味非常浓厚。"我们希望从中国的人文伦理出发,走出一套新的结构来。葫芦在中国一直是'瓜瓞绵绵、传宗接代'的象征,所以我们选择了它,替整个艺廊的空间造像。"没有建筑设计背景的张毅、杨惠姗二人,量身订做出一个复合式机能的艺廊,让建筑设计专业人士也不得不服气。

一进门,走道是葫芦的脖子;往前走,两侧展示柜及通往地下室的楼梯区 (左边展出琉璃工房本身的作品、右边为国际作品展区),是葫芦的上半身;再走进去一点,陈列书的部分,则是葫芦的腰;后面的咖啡区及视听

以中国图腾为主要装饰的天母艺廊,不仅是国际性艺廊,更兼具资讯、艺文休闲的功能。

今生相随——杨惠姗、张毅与琉璃工房

区就是葫芦的臀部。从咖啡区的玻璃窗望出去,是一座种有玉龙草、修竹、九重葛的唐式小庭院。庭院也是采用葫芦造型,中间用鹅卵石铺排出阴阳太极的图样。

整个艺廊以黑色为主色调,杨惠姗有着既专业又浪漫的见解:"选择黑,一方面是我自己对它情有独钟,一方面是从事琉璃工作多年的经验告诉我,琉璃本身已充满了丰富的情感及绚丽的色彩,而黑是一个最客观的颜色,当所有的灯光都暗下去以后,只有它可以无怨无悔地退居幕后,让'表演者'完全站出来,尽情表现。"

这个结合了国际艺廊、资讯、艺文休闲及观摩功能的艺廊,使用了大量中国图腾,如象征富足的"双钱";代表年年有余的"鲶鱼"等,呈现了想把传统美学融入现代生活的企图心。

工艺美术馆、工艺美术学校

明心慧眼、热情源源,以琉璃工房淡水工作室、上海公司为核心基地,张毅、杨惠姗所架构的文化运动,还包括工艺美术馆、工艺美术学校。

前者将涵盖世界玻璃艺史、中国琉璃史的各种文献、资料;收藏西方的、中国的古今琉璃艺术品。后者将是一所常态性的工艺美术学校,课程内容横跨各项工艺美术领域，举凡陶瓷、木工、金工、漆器、编织、石雕等，不仅教材质、技法、创作，更传授工艺美术背后的精神与伦理。

出身电影圈，张毅比许多人都懂得运用影像魅力，在文化运动中，他已另外排入一个摄制计划。

"希望可以再执导演筒，领导一个三四个人的小组，好的摄影师、好的剧本人员，只要是符合工艺伦理基本精神的，都可以涵盖其中。"

例如，日本金泽外海有一个名叫"轮岛"的地方，世代相传漆器工艺。漆器其实是唐朝以后传至日本的，是不是可以记录这些漆器艺匠的生活、学习；探讨现代塑胶制品对传统漆器的威胁；思考给我们何种借鉴？

其他无论是陶瓷、木工、金工……等领域，也都有值得后人学习景仰的典范，记录这些工艺大师的成就，有系统地加以收藏、陈列在工艺美术馆，或作为工艺学校的教学素材，将成为全人类共同的宝藏，也是张毅反复强调工艺、伦理的最佳表白。

"相信我可以拍得很好，既优美动人，又富知识性，配上好的音乐，会很有说服力。"张毅信心满怀地说。

涓滴汇成文化长河

也许很多人会质疑：区区一个民间团体，既是种子计划,还要搞什么美术馆、学校,岂非大言不惭?但是回想 10 年前,从七个门外汉开始的琉璃工房,谁又料得到会有今天?"虽然我们没有很大财力,但惠姗和我 10 年来有一个共同体认,只要发愿,一直想一直想,一直超越困难;诚恳够了,机缘也就到了。更何况机会永远是留给有准备的人。""我不能坐在那里等国家、财团来主动支持我们,也不愿逢人就开口求人,虽然我们只是一个小小的企业,但应该先做出一点成果来,也就是先把'形势'建立起来。"

投入琉璃事业以来,张毅、杨惠姗大部分时间都是和"失败"做朋友,在荒芜的琉璃艺术土壤里种下一粒粒种子,更把关怀辐射到广义的社会、文化范畴。今天,有心学习琉璃的年轻一代已不必远涉重洋,千里取经,而琉璃工房的艺术本质上的创作和思考,也引发许多人的共鸣与认同。"基本上,我们不幻想自己只要努力就一定有成果……但是,希望我们是开始,是一个起点,是一个示范。"

推开历史之门,期待的是:涓滴细流汇为文化长河。

第十四章

今生相随

——杨惠姗、张毅与琉璃工房

下个、下下个十年……

自然，经常沉默无语，不能就认为
理所当然。
生命，经常存在，不能就视而不
见。
人间多少高伟的学问、主张，
究竟可曾在土地生长一颗南瓜？

——南瓜思考

1998 年 12 月，琉璃工房于台北新光三越百货所举行的 "杨惠姗中国琉璃艺术国际巡回展" 为第二个 10 年起跑。

　　第一场秋雨过后，太阳不似夏季那般跋扈；天空好高，像一匹蓝底白花的手染布；空气里隐约飘散香樟树淡淡的气息。这是 1998 的秋，琉璃工房，迈入第二个十年。

　　第一个 10 年，不可否认，它因为"双亲"是知名导演张毅、影后杨惠姗而备受注意，社会基于好奇、爱惜，频频关注这个新生儿的成长。

　　第二个 10 年，这个活活泼泼、充满生命力的少年，将一步步走出传奇故事的迷思，昂首阔步向前。

总结第一个十年

简单替琉璃工房的第一个 10 年做个总结：

一、台湾第一、也是中国第一家的艺术琉璃工作室，开创琉璃艺术品市场。

二、最早把国际艺术琉璃观念及作品，有系统引进国内的民间团体。

三、率先以"中国琉璃"之名，在国际琉璃艺术界参展、获奖，并占有一席之地。

四、独立研发出玻璃粉脱蜡铸造法，在亚洲地区，惟一可以与法国老牌水晶艺品杜姆并驾齐驱的专业技法。

五、第一个以民间财力大量收藏、研究中国古琉璃的团体。

六、第一个进军国际市场的中国艺术自创品牌。

七、第一个承担艺术琉璃示范、教育责任的组织。

八、杨惠姗被评价为"中国现代琉璃艺术的奠基人和开拓者"；而造就杨惠姗的张毅则被称为"中国现代琉璃艺术之父"。

第一个 10 年，张毅加杨惠姗、加琉璃工房，构成一种很特殊的氛围，中间包含怀旧、认同、品味、向往、敬佩、不忍、好奇、疼惜、惭愧……或取其一、或取其二，掺和糅搅，产生抽象而微妙的情感渲染力。类似成立已经20年的云门舞集，代表沉沦社会中仍存在一股向上、向善、永不放弃的声音。一双虎头娃娃鞋也好，一尊潜龙静思宝瓶也好，很多人在双手把玩、灯下欣赏的同时，心中向往的是：一代代中国人能更有尊严地生活下去。

第二个10年，掌握纯熟技法已然不是主要考虑，创作内涵的深化、人文思考的完整，才是他们渴望的追求。琉璃艺术创作最大的价值，是让对生命的喜爱、观察、摹拟，有一个表现的空间；有一个下半生投注的重心。

琉璃工房最关心的倒不是"中国现代琉璃艺术第一人"之类的虚荣，而是将来如何成为世界华人的共同骄傲和重要文化资产。

事实上，虽不在意料之中，但循着琉璃工房走过的足迹，国际琉璃艺术界的生态已然产生了微妙的变化。例如，100多年历史传统的杜姆，1997年被法国某电子业财团购并；加上技术、创意一直无法突破以往水平，脱蜡铸造王国的地位岌岌可危。仅以香港的市场来说，据代理商连卡佛百货公司估计，自两年前琉璃工房打进香港之后，杜姆的销售金额下降了约一半。

反观琉璃工房从中国传统找素材，非但没有出现枯竭现象，反而是对传统中国愈了解，创作的想象愈飞腾。"从前很多外界的人不了解，说我们老是抱着中国传统不放，事实上认真检讨一下，我们并没有真正超越传统，光是向传统学习就还有很大空间，在这一点上，我们就已经优于欧美国家了！"

谁也说不准，300年后，中国会不会领先法国、意大利、捷克，成为世界顶尖的琉璃王国。

今生相随——杨惠姗、张毅与琉璃工房

未来，琉璃工房最关心的倒不是"中国现代琉璃艺术第一人"之类的虚荣，而是如何成为世界华人的重要文化资产。

展望第二个十年

云雀一生只唱一首歌；德蕾莎修女一生最常说一句话："上帝爱你！"

第一个 10 年，琉璃工房的基调始终是"中国琉璃"，并担负起教育、欣赏、社会功能，无怨无悔。张毅自己形容，必须坚持传教士的精神，不停地说，说"七十个七次"："每隔一阵子，我们两个人像布袋戏偶一样，被放在报纸上、电视上演来演去，虽然很累，但讲了一千次，无论开头是什么、结尾是什么，中间一定有一段是有关中国琉璃的，说来说去还是中国琉璃。"

虽然他们一直知道自己要什么——把琉璃工艺当成一种"文化"来耕耘，但最大的无力感是"孤军奋斗"。放眼捷克、意大利、法国，有国家支持的玻璃艺术学校；日本则有大商社每年出资举办世界性琉璃展、赞助琉璃博物馆，收藏、销售琉璃艺术品的网络相当完整。

第二个 10 年，琉璃工房能不能摆脱孤军奋斗的无力感？

他们正在写历史

"如果未来有人要写一部中国琉璃史，只要琉璃工房一直不停朝着原来的方向走下去，历史的定位，其实如同白纸黑字，已经写上去了，"著名美术设计家王行恭几乎可以断言："从战国琉璃珠，到清代乾隆的套料，中间是空的；从乾隆到琉璃工房，中间也是空的。这个历史是琉璃工房自己创造的，已经站在那里，别人无论如何抹煞不掉，接下来就看他们自己如何写历史。"

以艺术家的生命来说，一个 10 年算什么；对于矢志永续经营的团体，一个 10 年更不算什么。

琉璃工房的故事说到这里，接下来应该还有很多"然后、然后、然后"的情节；相信张毅、杨惠姗的生命里也应该还会有更多波澜壮阔、高潮迭起的后续。

下个、下下个 10 年……琉璃工房，锦绣天下，且看明朝。

【附 录】

今生相随

——杨惠姗、张毅与琉璃工房

琉璃工房大事记

1987 年	6 月	创办"中国现代水晶公司"
1988 年	6 月	迁入莺歌厂
1989 年	2 月	琉璃工房淡水工作室成立
		张毅、杨惠姗赴纽约实验玻璃工作室研习"玻璃粉脱蜡铸造法"
1990 年	1 月	台北诚品画廊首展
1990 年	7 月	新竹中兴百货公司展览
1991 年	1 月	台北太平洋崇光百货公司展览
1991 年	4 月	台湾手工艺研究所年度评选,琉璃工房三件作品获年度最优奖
1991 年	8 月	台北故宫博物院现代馆展览
1992 年	5 月	日本东京银座三越百货美术艺廊展览
1992 年	6 月	日本大阪 SOGO 本店美术艺廊展览
1992 年	9 月	日本高松三越百货美术艺廊展览
1992 年	11 月	日本横滨松阪百货美术艺廊展览

今生相随——杨惠姗、张毅与琉璃工房

1992 年	12 月	杨惠姗作品"大药师琉璃光如来"入选日本"株式会社求龙堂"发行,由水常雄主编,《世界玻璃美术全集》"现代卷"(*The Survey of Glass in the World*)
1993 年	2 月	日本新泻三越百货美术艺廊展览
1993 年	6 月	日本神户大丸百货美术艺廊展览
1993 年	9 月	日本福冈大丸百货美术艺廊展览
1993 年	10 月	北京故宫博物院永寿宫首次展览
1994 年	5 月	意大利威尼斯第一届现代透明艺术《九八二》展览 美国底特律 Habatat Gallery 展览 德国汉堡 Galleriel 展览
1994 年	7 月	杨惠姗出席日本现代玻璃展,于日本石川县能登半岛玻璃美术馆任示范教席,示范玻璃粉脱蜡技法
1994 年	9 月	新加坡高岛屋美术艺廊展览 台北市立美术馆展览 日本静冈松阪屋百货美术艺廊展览

1994 年	10 月	日本横滨松阪屋百货美术艺廊展览
		瑞士苏黎世 Sanske Gallery 展览
		美国德州休士顿 Judy Yoven Gallery 展览
1994 年	11 月	日本冈山满天屋百货美术艺廊展览
1995 年	4 月	南非约翰尼斯堡"第一届国际艺术双年展"展览
		捷克 Jablonec Nad Nisou 之"水晶暨珠宝博物馆",举办"杨惠姗水晶作品展"
1995 年	1 至 5 月	台湾第一届国际现代玻璃艺术大展
1995 年	7 月	中国上海美术馆展览
1996 年	2 月	香港徐氏艺术馆展览
1996 年	3 月	香港中国会(China Club)展览
1996 年	11 月	高雄新光三越百货公司"中国琉璃的过去、现在与未来"展览
1996 年	12 月	日本东京日本桥三越百货美术艺廊展览"人间亿万佛"
		台湾台南新光三越百货公司展览

1997 年 2 至 4 月　　台湾新竹"国际水晶艺术节"展
　　　　　　　　　　览

1997 年　　7 月　　中国北京"1997 中国当代雕塑
　　　　　　　　　　艺术节"展览

1998 年　　4 月　　英国伦敦"维多利亚·亚伯特博
　　　　　　　　　　物馆"展览

1998 年　　5 月　　中国上海博物馆"杨惠姗现代琉
　　　　　　　　　　璃艺术品展"

1998 年　　8 月　　中国北京故宫博物馆永寿宫"杨
　　　　　　　　　　惠姗中国琉璃艺术创作展",该馆
　　　　　　　　　　并再度收藏杨惠姗《大放光明》、
　　　　　　　　　　《天地之间》及《生生不息》三件作
　　　　　　　　　　品。

1998 年　　12 月　　于台北新光三越百货南西店文化
　　　　　　　　　　馆举行"杨惠姗中国琉璃艺术国
　　　　　　　　　　际巡回展"

1999 年　　1 月　　天下文化出版《今生相随——杨
　　　　　　　　　　惠姗、张毅与琉璃工房》一书。

杨惠姗、张毅个人大事记

杨惠姗

1952 年	出生于台北,祖籍湖南
	静宜学院外语系肄业
1973 年	进入演艺圈
	共拍过 124 部电影
1983 年	《小逃犯》获金马奖影后
1984 年	《玉卿嫂》获亚太影展影后
1985 年	《我这样过了一生》获金马奖影后

张毅

1951 年	出生于台北,祖籍北京
	世新电影科毕业
	曾任职农复会、国泰建业广告公司
1978 年	出版小说《源》,新生报社出版。
1984 年	出版《台北兄弟》一书,尔雅出版社
1986 年	《源》获亚太影展最佳剧本奖

今生相随——杨惠姗、张毅与琉璃工房

张毅电影创作年表:

1982 年	《野雀高飞》第一部执导演筒的电影
1983 年	《竹剑少年》
1984 年	《玉卿嫂》
1985 年	《我这样过了一生》
1986 年	《我儿汉生》、《我的爱》

张毅电影参展及得奖纪录

■《玉卿嫂》

1983 年　在第 21 届金马奖上获最佳童星奖、最佳原著音乐、最佳录音;同年的第 29 届亚太影展上,杨惠姗获最佳女主角奖、张弘毅获最佳音乐奖;南非德班影展、美国亚洲电影展。

1985 年　韩国亚太文社影展、日本东京青年导演作品竞赛展、英国伦敦国际影展、比利时电影基金会欣赏展获妇女奖。

1988 年　意大利贝沙洛国际新潮电影展、葡萄牙弗兹影展。

■《我这样过了一生》

1985 年　第 22 届金马奖最佳剧情片、最佳导演、最佳改编剧本、最佳女主角。

1986 年　第 31 届亚太影展最佳导演奖、美国奥斯卡金像奖外语片竞选、英国伦敦影展、美国芝加哥影展、美国休士顿影展、南非德班影展、韩国亚太文杜展、西德曼海姆影展。

1987 年　加拿大多伦多影展

1991 年　美国休士顿台北电影节

■《我的爱》

1987 年　第 32 届亚太影展、英国伦敦影展

1988 年　以色列耶路撒冷影展

1997 年　美国《综艺》杂志 (VARIETY) 百年电影纪念专集,台湾百年电影十大影片之一。

作品获收藏纪录

中国北京故宫博物院收藏七件作品(1993 年)

日本奈良药师寺收藏杨惠姗作品《药师琉璃光如来》(1995 年)

香港徐氏艺术馆收藏《金佛手药师琉璃光如来》(1996 年)

美国华盛顿特区"国家女性艺术家作品博物馆"(National Museum of Women in the Arts) 永久收藏杨惠姗作品《大愿》(1997 年)

《天地之间》、《生生不息》、《大放光明》受北京故宫博物院永久收藏(1998 年)

英国维多利亚及亚伯特博物馆收藏两件作品——《大放光明》、《并蒂圆满》(1998 年)

参考书目

一、Art Nouveau to Art Deco

——The Art of Glass

By Vivtor Arwas, Published by Rizzoli New York

二、Nineteenth Century Glass

——It's Genesis and Development

By Albert Christian, Published by Schiffer Publishing Ltd.

三、Glass

——Art Nouveau to Art Deco

By Victor Arwas, Published by Time Mirror Books

四、Glass

——A Contempory Art

By Dan Klein, Published by Rizzoli New York

五、Glass of Art Nouveau

日本北泽美术馆铃木洁监修,光村推古书院出版

六、玻璃鉴赏与收藏

冯乃恩编著,吉林科学技术出版社出版

七、璀璨琉璃,战国古珠

文字:张宏实,摄影:王才生。淑馨出版社出版

八、造物之门

——艺术设计与文化研究文集

许平著,陕西人民美术出版社出版

九、中国美术全集,工艺美术编"金银、玻璃、珐琅器"

北京文物出版社出版

十、艺术铸造,上海交通大学出版社

十一、谪仙记

白先勇著,水牛出版社出版

十二、源(上、下册)

张毅著,台湾新生报社出版

十三、台北兄弟

张毅著,尔雅出版社出版

十四、影迷藏宝图

闻天祥著,知书房出版社出版